Richard Bohringer

C'est beau
une ville la nuit

Blues

Denoël

Richard Bohringer est né à Moulins, dans l'Allier, le 16 juillet 1942. Plus connu comme comédien, il a cependant écrit et fait jouer deux pièces de théâtre, publié des nouvelles dans des revues et écrit des textes de chansons.

Il tourne son premier film en 1972 et ne cesse de jouer depuis, notamment dans *Diva* (réalisation Jean-Jacques Beineix, 1981), *Le destin de Juliette* (réalisation Aline Issermann, 1983), *Le paltoquet* (réalisation Michel Deville, 1986). Il a obtenu le César du second rôle pour *L'addition* (réalisation Gilles Bréhat, 1985) et le César du meilleur comédien pour *Le grand chemin* (réalisation Jean-Loup Hubert, 1988).

C'est beau une ville la nuit est son premier ouvrage.

Part 1

La douleur est comme une pirogue qui court le long des nerfs.

Je m'étais endormi. La cloche de cette putain d'église m'a réveillé. Les chiens dorment sur les fauteuils, la tête dans leurs couilles. Au chaud.

Coin-coin lui vit sa vie. Silencieux, il vide une vieille poubelle qui traîne là depuis trois semaines. C'est le plus joli des petits canards blancs. Il est vraiment blanc. Il a le bec jaune.

Je l'avais acheté avec petit Paul sans lui dire pourquoi. Je lui ai dit. C'est Eddie qui m'a raconté qu'aux îles les marins trompés tuaient un canard blanc un jour de pleine lune au bord d'un étang.

Après ils se barbouillaient de son sang tout le corps.

Il fallait qu'ils restent deux jours, comme ça, habillés, avec le sang en dessous.

7

C'est un truc pour faire revenir l'âme des femmes. J'ai demandé à Eddie s'il était sûr que ça marchait. Il paraît m'a-t-il répondu. Même que le type qui se barre avec la femme meurt.

Eddie je voudrais écrire Eddie sur tous les murs. Entre chaque note tu l'entends qui respire et expire sur la couleur comme s'il avait du sang plein les mains. Eddie c'est le roi d'un peuple au hasard. Mangeur de son! Mangeur de vie! Hurleur de nuit! Il est bleu avec des paillettes d'or vert dans les yeux. Il est comme la malice. Et puis romantique, nom de Dieu! Nonchalant comme un éléphant. Enfin sauf les oreilles. Pas possible d'arriver par-derrière. Très copain avec le lion. Avec le merle aussi. Genre grande conversation dans la clairière. Avec l'âme qui s'envole aux bouts des doigts.

Je regarde Coin-coin. S'il savait! Se faire bouffer passe encore, on peut imaginer qu'ils ont l'instinct!

Mais je ne sais si le canard de France est au courant de ce à quoi servent les cousins des îles!

Toujours est-il que Coin-coin est là depuis trois mois.

Petit Paul m'a interdit de tuer un canard pour une gonzesse.

Petit Paul c'est un régal. Doux et rêche comme la peau de pêche.

Je l'ai toujours aimé. Quand il était petit, il se cachait dans les bosquets pour voir les filles nues. Avec sa crinière blonde ça faisait comme un soleil dans les feuillages verts. Les filles le savaient et s'offraient encore plus. C'est son ami. Je crois même que petit Paul l'aime comme elle aime qu'on l'aime. Sans demain.

Je sais qu'il finira par la rejoindre. Je serai alors complètement seul. Ils vont m'oublier. Ne plus exister dans leur mémoire.

Je ne veux pas. Je veux eux. Eux deux. Comme avant. Où je les grondais pour la même bêtise. Faite ensemble sans moi. Il l'avait reconnue. Reconnue comme sa sœur ou même comme quelque chose de plus mystérieux encore, identique à lui, à son silence. Ils étaient complices du même bonheur.

Il sera l'ami de ses amants. Pour ne pas la perdre. Avec moi, il était tranquille. Il ne m'a jamais considéré comme quelqu'un avec un sexe. Si une fois. Elle avait malgré sa respiration à peine forcée soupiré comme si rien ne l'avait effleurée. Ni ma main ni son sein. Le lendemain, il s'est foutu d'elle toute la journée. Un peu gêné quand même. Elle aussi. Comme si elle ne voulait pas qu'il ait cette image d'elle. Enfin je croyais. Maintenant je sais que ça lui faisait quelque chose de savoir qu'il avait entendu. Quelque chose comme les premières gouttes de champagne versées dans un verre. Quelque chose d'effervescent dans le ventre. Vite. Sans que personne n'en sache rien.

Je me souviens. Lorsque nous vivions tranquilles au bord de l'Oise. Dans une grande maison. Elle, lui et moi. Et puis plus tard notre fille. Mais juste avant, son gros ventre rond que Paul touchait du bout des doigts en riant comme un nigaud. Je les regardais. Les deux déjà là, et celle ou celui à venir. Je les regardais et je me disais. Le bonheur le voilà.

Mais déjà, comme en été, un nuage noir faisait frissonner les pans éclatants des champs.

C'est comme cela que les poètes découvrent les traces de leur destin.

C'est dans ces traces qu'ils trouvent les signes de leurs défaites humaines.

Alors ils courent volontairement à leur perte, pour accélérer le mouvement afin de vivre plus vite encore leurs chagrins.

Et je me disais. Un jour il me la prendra.

Ce qui me rapprochait encore de lui.

Ils partaient pour de longues promenades dans la campagne. Ils revenaient pleins de secrets, de sous-bois, la bouche peinte par les mûres lorsque c'était la saison.

J'avais fait le feu dans la cheminée.

Et puis j'écoutais ma vie et la trouvais bien belle.

Repoussant l'angoisse que la tombée du jour m'inspirait.

J'entendais leurs rires et le bruit des vélos sur la porte du garage. Je vivais tout. Chaque seconde et chaque bruit, chaque son. Ils rentraient, le cache-col serré autour du cou et le nez rouge. C'était bon de les sentir mouillés. On passait comme ça, une heure d'abandon. Avec les chiens qui rêvaient devant la cheminée.

Part 2

Polo clébard.

Je regarde ma bite en pissant contre le mur de la poste. Ça fait longtemps que j'ai pas bandé.

Elle m'ignore, glisse entre mes doigts, fait semblant un court moment, et s'assoupit comme une crotte de chien.

P'tit Paul est parti.

P'tit Paul a rejoint la ville. Les chiens affamés se mordent dans le jardin.

J'ai froid.

Je regarde mon chien. Il me guette. Il a faim. Il a toujours eu faim. Il doit m'en vouloir sans très bien savoir pourquoi. Les gonzesses pour eux, les clébards, ça passe. Lui, c'est elle qui l'avait choisi. Eh oui. La vieille carte postale du bonheur parfait. La femme, l'enfant et l'homme, avec à leurs pieds, le chien. Le bon chien et l'homme fort. L'homme fort et la douce et tendre femme, les bras chargés par l'enfant souriant. Photo!

Elle l'avait choisi parce qu'il était vilain. Ça me flattait. Je me disais qu'une femme choisissant le plus vilain des chiens, c'était comme si elle me choisissait une deuxième fois.

Où t'es petit Paul à cette heure-là? Avec elle j'en suis sûr. Avec elle et son amant. Je suis sûr même que tu l'aimes bien, son amant. Puisqu'il a la chance d'être aimé d'elle. Je suis sûr que tu l'aimes bien parce qu'il l'aime mieux que je l'ai aimée. Ça y est. Ça recommence! j'ai le couteau qui fouille dans mon ventre. Fallait que je fasse gaffe. Pas penser! pas penser à leurs rires.

Je dois bien avoir quelques cachets planqués quelque part. Je vide les valises. C'étaient les siennes. Je laisse tout dehors en gros tas multicolore. Avec des robes d'été qu'on avait achetées ensemble, au début. J'en trouve sous le matelas de ces putains de cachets! Je les avale avec un grand verre de rouge. Je me couche avec la bouteille à la main.

Il y a la lune qui fait des pans de lumière sur la machine à écrire et sur le parquet. Comme dans un film de Wenders. Si jamais je pouvais tomber. Tomber loin. Partir vers quand j'étais môme.

Vers quand c'était tout vert dessous et tout bleu dessus.

Petit Paul comment je vais faire sans toi. Il n'y avait plus que toi qui m'écoutais.

Coin-coin mordille mon pied. Je me réveille

en sueur. Chaleur. Il est gentil ce canard. Polo clébard aimerait bien le bouffer.

Coin-coin vient de chier sur le parquet. Il y a le soleil qui tape juste dans sa merde. Ça fait éclater les verts et les auburns. Pour Coin-coin c'est la belle vie.

Je vais me laver. Essayer. Pas le courage de sentir l'eau sur ma peau. J'ai l'impression d'étouffer. Je me lave la gueule et les dents. Je m'habille n'importe comment et je descends l'escalier.

C'était un rêve d'enfant cet escalier. L'escalier en bois dans la maison. Lorsque le dîner aurait été prêt, j'aurais crié du pied de l'escalier. « C'est prêt. » Et sa voix m'aurait répondu.

Il est plein de gravats l'escalier. J'avais commencé les peintures avant qu'elle se barre.

Il faut que je prenne une douche. On ne sait jamais. Une bagnole te fout en l'air. La morgue. Les types avec le papier mais qui colle à leurs vieilles bouches amères. Eux s'en foutent que tu aies le cul sale. Mais t'imagines qu'ils essayent de te sauver. Les belles infirmières avec leurs seins tout ronds, à poil sous la blouse, qui plissent le nez devant ton corps qui pue, ta vieille bite toute ridée. Coton-tige pour te nettoyer. Pas possible à imaginer!

Elle te tape sur l'épaule en disant : « En pleine forme ce matin, monsieur Machin. »

Elle le sait bien la belle que t'en peux plus, que t'as le drapeau en flanelle. Faudrait être en forme et lui balancer quelques obscénités d'un air innocent. Alors t'inventes qu'elle te dise. « Touchez là, monsieur Machin. Touchez comme c'est plus doux. »

Après elle se barre à bicyclette et juste au moment où elle l'enfourche, il y a un coup de vent.

T'as plus qu'à attendre comme un gosse la prochaine visite de tes vieux potes pour leur raconter l'effet que ça t'a fait et les voir se lécher les babines.

J'aime les infirmières et leur regard blessé par les misères.

J'aime pas l'eau. Tout est difficile.

Part 3

Dis-moi mon Paulo
T'as plus de chagrin dis /
Elle est partie Elle est partie /
C'est pas un mec comme toi
Qui va croire que la vie c'est fini /

C'est vrai / Il fait beau / Il fait chaud /
et tu l'imagines derrière les rideaux /
Nue / qui raconte sa vie à un lustucru /

Je sais bien / Toi aussi /
Il faisait beau / Il faisait chaud /
et elle t'avait raconté sa vie /
Vous avez fait les bars /
et tu la regardais danser /
Elle te souriait sous les projos /
t'étais son héros /

O mon Paulo / Pleure pas comme ça /
Ça y est /

Ils ont fini de baiser /
Il est pas bien grand / mais tout nu /
Il l'est plus qu'elle quand même /

Pour l'instant / c'est lui qu'est beau /

T'as plus rien à voir dans cette histoire /
C'était ton pote /
Et moi / Qu'est-ce que je suis /

Tu vois / Je te l'avais dit /
Que ce putain de jour allait mourir /
Regarde bien ce bar /
Comme on est peinard /

Il ferme tard / Et on peut jouer aux dés /
avec les pieds-noirs /
Tu vois / c'est là que je viens tous les soirs /

Tu sais / Peut-être elle l'aime pas ce mec /
C'est peut-être l'ennui / ou un gros cafard /
T'emballe pas t'emballe pas Paulo /
C'est peut-être un gros cafard dans lequel t'as
rien à voir /
Peut-être / Ils ont fait l'amour dans le noir /
Peut-être / Elle avait pas envie de le voir /
Ce mec /

Tu voudrais pas / Que ce soit /
un professionnel de la gonzesse qui flotte /

Qui se laisse aller pour voir /
Comme toi y'a des soirs /

Elle lui fait peut-être des trucs qu'elle t'a jamais
faits
Et ça te vrille la tronche /
Elle lui dit peut-être des trucs qu'elle t'a jamais
dits /
Et t'as le cœur déchiré aux ronces /

O viens mon Paulo / Viens /
On va regarder la ville / au ralenti / en taxi /
Regarde / moi / j'ai pas de clef qui déforme les
poches /
Je vis / Et je dors comme un clébard /

J' veux qu'ils déménagent tous les deux /
Qu'ils s'en aillent loin /
Et qu'un jour / Il revienne seul /
Que je sois de l'autre côté du bar /
et qu'il me reconnaisse pas /

Alors, il me racontera comment il est l'autre /
si elle a toujours les lèvres gonflées / Comme
les mûres /
Le matin / Quand elle s'éveille /
Si elle marche toujours aussi bien dans les
blés /
Pleins de soleil /

Maintenant qu'elle t'a largué /
Qu'elle aime plus ton odeur de pieds /
C'est pas la peine de lui mettre un porte-
jarretelles /
Garde-la / à l'abri de tout ça /
Faut que ça te rende beau / Plus gentil /
Faut pas que ça te fasse tomber les lèvres /
Faut garder ta fièvre /

Y'a des gens qui prendraient c' que tu crois
qu'il te reste comme espoir
Pour toute la vie /

Tu vois / Moi je vis /
Y'a même des fois où j'oublie /
Elle fait partie de mon bagage invisible /
Pour toute la vie /

Il est extra ton blues mon pote. Mais quand est-ce qu'elle sera derrière la colline pour toute la vie. D'abord je ne veux pas qu'elle soit derrière la colline. Je veux qu'elle revienne. Je veux plus avoir de chagrin. Ouais, Paulo. Je suis moins fort que toi. Je sophistique pas! Moi la nonchalance du mec dont on dit que la brûlure viendrait d'une gonzesse. Je possède pas encore! Il y a même des fois si j'appuie pas sur le frein je deviens fou. Comme un chien qui se couche sur son maître mort. J'ai rien d'humain. J'ai plus rien d'humain. J'ai pris un routier en pleine poitrine, en plein poitrail. Parti c'est comme partir. En pire. Ça veut dire que là où t'étais il y avait plus d'aventure. Ça veut dire que t'étais plus capable d'inventer. Néné! Oui je sais. Elle est pas partie par hasard. Elle voulait une autre vie. J'étais pas si incontournable. Oh le coup à l'orgueil. C'est comme si on décidait de ne plus arroser les iris. Iris du mot tranchant. Qui tranche en violet sourd et violent à la fois quoi! Évidemment ça dépend de ce que le violet inspire et puis si on aime la fleur.

Ouais putain de blues, mec. Merde voilà que j'ai les pieds trempés. C'est la flotte à travers le trou dans le plancher de la camionnette. Je l'avais achetée pour la faire planer.

J'ai les mains qui tremblent au volant. Bientôt Paris. Un routier sur le bas-côté qui mastique. Des motards qui hésitent en me regardant passer dans la camionnette déglinguée. Deux vaches perdues entre deux cimetières de voitures broyées. Une vieille pute, avec un vieux sac sur le bord de la route. Toujours au même endroit. La pipe à trois sacs dans les bois appuyé contre un arbre et la bouteille d'Évian qui fait floc-floc dans le sac.

J'ai laissé Coin-coin enfermé dans la cuisine. J'ai rien donné à bouffer aux chiens. Où je vais dormir ce soir? Je veux pas revenir la nuit dans la maison.

Le bruit de la chaudière qui se réamorce régulièrement. Je veux pas revenir.

Mes mains tremblent à tel point que je laisse la voiture aux portes de Paris.

Je prends un taxi. Je veux fumer une cigarette, je n'ai pas de feu. Je demande au chauffeur. Il me passe par-dessus son épaule une boîte d'allumettes. Il a l'air gentil. Alors je lui parle d'elle. Je lui dis qu'elle est partie. Il me regarde dans le rétroviseur.

Il me jette que toutes les femmes sont des salopes! Ça me fait mal. Il me dit que la sienne s'était barrée aussi. Qu'il était resté sans pouvoir baiser pendant un an. Que son gosse était chez sa mère. Qu'elle venait le voir de temps en temps.

Elle s'était barrée avec un jeune con. Une taille fine. Sans les bourrelets de la quarantaine. Mais qu'elle était tellement gourmande. Tellement. Qu'il avait du chagrin, encore de temps en temps. Surtout quand il voyait marcher une femme et qu'il croyait que c'était elle. C'est marrant non! Ou lorsqu'il voyait un couple s'embrasser et que la femme était enceinte. Que maintenant il ramait pour le môme. Qu'il lui disait que sa maman était la plus gentille des mamans. Ah! les gonzesses! dit-il en me rendant la monnaie.

22

Con un homme quand ça souffre. Aussi con que quand il est heureux. Quand tu souffres tu crois que tu es seul. Et quand t'es heureux tu donnes des conseils.

Imbécile! Pauvre conne. T'étais ma mer d'ivoire!

Il est tôt. Je suis tout seul. Qu'est-ce que je vais boire? De la bière. Une bière avec de la mousse et de la buée sur le verre. C'est comme ça que je l'aime. Je sais déjà que je vais en boire une dizaine. Après je bois n'importe quoi.

La bière. Les lèvres dans la mousse. La première il faut la boire la bouche ouverte comme un entonnoir. Pendant qu'elle passe, ça fait comme une épée glacée avant qu'elle s'écrase dans le fond de l'estomac avec des petites flaques amères.

Terrible boire. Les yeux fixés vers le ciel aveugle. C'est en buvant que j'ai appris à boire. Remettre cent fois. Tout est perfectible.

C'est vrai que j'aurais aimé t'emmener aux alentours des bars voir les femmes infidèles aux rires déchirants.

Quand j'étais môme je tirais sur les gens à la carabine.

Une Diane à air comprimé. Ma grand-mère hurlait sans arrêt.

« Je me tue au travail pour toi et tu n'as jamais un mot gentil. Tu fais que des bêtises. »

Moi je ne voyais pas pourquoi j'aurais eu un mot gentil.

Je n'en avais rien à foutre. Il m'arrivait bien de pleurer, mais pas pour ça.

Je pleurais surtout pour les filles, pour leurs cheveux et puis leurs mirettes.

Comme on habitait la campagne, j'allais à la ferme chercher le lait parce qu'il était plus frais disait ma grand-mère. Pour aller à la ferme, fallait passer devant une grande place. C'est là qu'elles se réunissaient, les filles. Elles se foutaient de moi parce que je voulais leur tenir la main, peut-être bien.

Et puis je devais avoir l'air d'un sacré con avec ma bouteille de lait.

Un jour dans le grand terrain vague à côté de la maison, alors que je tapais dans mon ballon, j'ai rencontré Norbert. Il est descendu d'une traction Citroën. J'ai tout de suite vu qu'elle n'était pas à lui.

J'ai rien dit. Ça me regardait pas. Surtout que les jours qui ont suivi on en a piqué un paquet. Norbert ne parlait pas beaucoup. Il roulait vite. Il était bien plus grand que moi. Il avait des yeux d'une drôle de couleur, comme les vitres d'une cuisine l'hiver, quand on fait la bouffe et qu'il y a de la buée dessus. Alors dans les bagnoles moi je lui parlais. Il donnait toujours l'impression de ne pas écouter, mais je m'en foutais au fond. J'avais besoin de parler.

Même Norbert avec ses menottes disait que je n'en savais rien. Que j'avais jamais su qu'elles étaient piquées les bagnoles. C'est la dernière fois qu'on s'est vus.

Part 4

Ma douce Berbère... Dans quelle rue, dans quel bar, m'inviteras-tu de tes yeux verts. Salut Paulo. Si on refaisait la vie. Si on était beaux cette nuit. J'ai du pognon, je peux faire plisser mes rides, là, juste au coin des yeux. Marche avec moi. Le bel incendie. T'as une belle gueule, Paulo. Si! puisque je te le dis. Moi aussi? Merci.

Mate le bonheur à travers la vitrine du magasin des produits fins. Mate la qualité du tissu, chaussures à lanières, jambes bronzées. Ça c'est la femme qui sent bon. Tu pues des pieds, Paulo. Rêve pas. Tes baskets c'est du clafoutis.

La touche pas, ferme les mirettes. C'est le genre à appeler les flics. Si tu veux. Dis-lui que t'as envie de la baiser.

Juste parce que tu as peur de mourir cette

nuit. Glisse-lui à l'oreille. En lousdé. Je reste dehors. Paulo entre et je mate derrière la vitre pare-balles. Il se penche vers elle.

Tétanisée la belle dame. Elle regarde la tronche de mon pote, mord sa lèvre devant l'autre gourmand, prend son jambon de Bayonne en tremblant, laisse tomber sa monnaie et court dans la rue jusqu'à l'Austin Cooper.

Deux enfants souriants, sages. C'est une maman. Pas de pot. On touche pas aux mamans.

Paulo est renversé. Il arrête pas de me dire qu'il a jamais vu d'aussi belles mirettes. Piège. Danger. Les beaux quartiers. On les revoit jamais. Vaut mieux pour mon pote.

Je trébuche. Tiens déjà! Bourré. Fait comme un rat. On va se planquer. Dans un bistrot. « Si ça doit être le même scandale qu'hier soir. Je ne vous sers pas. » Promesse. Dégoulinant. On fait tomber la bière au fond de l'œsophage. J'ai les doigts qui gonflent. Je le vois à l'alliance. Je t'aime. « Comment ça va, l'écrivain? – Très bien j'ai reçu une commande de l'émir du Koweït. Par hasard. » Je raconte une histoire bizarre où j'aurai rencontré l'émir au coin d'un bois désespéré. L'autre hausse les épaules. Je m'en tape. Quant à Paulo, il fait tomber les dés. Une sacrée partie de quatre-cent-vingt-et-un. Aboule la némo.

Il y a un Allemand tout blond qui dit qu'il a toujours aimé les Arabes. Il y a l'Arabe qui montre les dents. Faut se mettre au milieu. Prendre une pêche peut-être. Surtout rassurer le patron qui montre du doigt le plafond.

Vie de famille au-dessus. Peinard tu fermes la fusée et t'habites au-dessus. Marco, l'Auvergnat, feint et dit qu'il ne servira pas les gens saouls. D'un seul coup, c'est comme une vague sans bruit avec des dizaines d'yeux qui papillotent.

Pillards sanguinolents. Ombre de notre jeunesse si proche. Et pourtant. Le sentiment que c'est trop tard. Que tout est trop tard. C'est faux. Tout vit. Même moi. Même toi. Tranquille un jour, devant l'olivier. En reprendre encore pour des siècles de cette vie infernale. Ne jamais vouloir mourir. Jamais. Se laver les pieds chaque matin. Les pieds et la bite.

Mon Paulo s'est relevé au bout du bar. Il me cherche du regard. Comme un oiseau ensommeillé. La paupière qui tombe, recouvre l'œil, comme une coquille de noix mauve.

Je l'aime mon frère. Encore une bière. J'ai des sous ce soir. Venez autour de moi. Boire avec des grands bruits. Être méprisant de notre vie. Demain je serai con. Con car il fera beau et je serai vert.

Vertige Mamie fais-moi du bouillon. J'ai perdu mes papiers.

Il me reste encore un peu de pognon. Après on fera crédit.

La sagesse même, mes Paulos. Pas un ne bronche. Pas gerber sur le bar.

Consigne. Téléphone pour moi. Je suis pas là.

Enculé. Je suis un enculé ma panthère. Une voiture noire. Les flics.

Vérification. On ferme notre gueule. Il y a encore plein de trucs à boire. Provoque un peu. Pousse l'aveugle dans le noir. Il s'en fout. Comprennent pas les flics. L'aveugle a les yeux bleus. Tente de faire croire que c'est le patron qui les a appelés.

L'Auvergnat les poulets c'est pas son truc. Il préfère sauter le bar.

Ils se sont barrés. Vexés. On a bien tenté. « Un petit coup pour la route. » Rien à faire. C'est des jeunes. Le genre serré des mâchoires malgré une boucle d'oreille pour ressembler aux planeurs.

Manque de pot. Il y a des petits détails qui trompent pas.

C'est nous les planeurs.

Paulo se déhanche devant le juke-box. J'aime pas ça. Ça le rend évasif. Sur Eddie Louiss. Panard. A boire.

Paulo quand y danse on comprend pourquoi les gonzesses l'aiment.

C'est presque rien. Juste un peu les hanches. L'air de rien. Comme il a un beau cul. Tu vois le ravage : Il y a pas que les mecs qui aiment les beaux culs. C'est marrant c'est un truc que j'ai toujours su. Ah Paulo. C'est ma grâce. Ma châtaigne. Il n'a eu qu'un amour, l'ivresse. Il aime tout le monde. Il a les yeux brisés. Si doux. Il travaille. Avec ses mains. Un ouvrier quoi! Comme quoi! J'aime bien ses mains! Un discret de l'usure! Un souriant qui te file le poids quand il te regarde! Un jour une fille qui nous aimait bien, comme ça, avait voulu dormir avec nous deux. On n'a pas pu. On l'a regretté. Mais on n'a pas pu. Alors après on a fait semblant que c'était la pureté. Nini! Riqui-quiqui! Une mouche là. Dans le gras de la bière. J'ai un peu la gerbe. Paulo. Je le suivrai au bout du monde. Tiens c'est comme si c'était l'ensemble de mes potes. Un bout de chacun. Avec tous les cœurs à la fois. Ah ma belle gonzesse tu m'as tué la tête. C'est pour ça que je l'aime, Paulo. Parce que, c'est ma seule famille. C'est l'endroit où je suis. Ce que je suis. Peut-être bien éperdu mais pas perdu. Je peux les toucher eux. Ils sont beaux et pauvres. Il n'y en a que pour l'ivresse. Chaque jour recommencer. Les ombres immobiles des poubelles sont fraternelles. Nous ne sommes responsables que de poésie. Paulo, je le finirai un jour ce roman maudit dont tout m'échappe. Pour toi, Paulo!

T'inquiète pas. Un jour je saurai où je vais. Je suis con ou quoi? Voilà que je fais dans la revanche. C'est pas mon genre pourtant. Je sais pourquoi. C'est parce que je voudrais bien qu'on nous donne du MONSIEUR de temps en temps. Comme si on était célèbres quoi! Dans le genre écrivain qui fume la pipe, concentré, dans les brasseries. Et non pas, il peut y avoir de la fumée sans feu.

Paulo c'est un mec qui aime les belles choses. Pas dans le genre placard. Moi je mets plus de temps. Je suis plus lourd. Je peux aussi faire dans le genre romantique qui voudrait toutes les baiser.

J'aime pas ce mot. Je suis pas sûr de pouvoir leur donner de l'amour et ça m'écœure. Je voudrais être tellement généreux. Un peu comme Paulo qui danse et qui voit le coup de chagrin dans mes mirettes. Son clin d'œil vaut de l'or. Il vient de me rendre riche. Les mines du roi Salomon. Comme si le chagrin d'amour c'était normal. Que le pays était dur. Que la tâche était terrible et le voyage très long pour atteindre les rives d'un nouveau monde. Le clin d'œil de frangin toujours. Même loin.

Dans le fond des bars / quand je buvais /
Il y avait ma colère / comme un gros derrière /
Il y avait la fille au rire déchirant /
qui tanguait dans la lumière des verres à
bière /

Des juifs inquiets / des nègres en colère /
Il y avait celui qui passait et repas-
sait / Amer /
Et puis moi qui comptais mes bières /

Dans le fond des bars /
Quand je buvais /
Il y avait son souvenir qui me frôlait /
Ou qui me frappait comme un poignard /
Sorti du noir /
Il y avait mon ventre déchiré / sans espoir /
Qui s'accrochait au bar /
Il y avait mes paulos /

mes frères rêveurs / mes fêlures /
Il y avait leurs rires / leur douceur /
Comme des fleurs /

Dans le fond des bars /
Quand je buvais /
Il y avait le docteur / qui s'était flambé pour
une danseuse /
qui n'avait dansé qu'un seul été /
Il y avait le Berbère mendiant /
qui frappait la nuit / avec sa canne blanche /
On marchait côte à côte /
Jusqu'au bord des boulevards / voir les
néons /
voir ceux qui ne buvaient pas / voir celles
qui ne nous aimaient pas /

Dans le fond des bars /
Quand je buvais / il y avait le téléphone /
qui brillait de toutes ses dents / de la vie
d'avant /
Comme un roi négro / comme un roi d'espoir /
Il y avait des dés qui roulaient /
Il y avait un peintre à l'œil crevé / qui flam-
bait /
dans la bière / comme le soleil en plein été /

Il y avait le juke-box plein de palmiers /
Il y avait le chien étonné /

34

qui les voyait bouger /
et moi avec mes 2 283 bières /

Dans le fond des bars /
Quand je buvais / et que je tombais par ter-
re /
Il y avait Polo clébard /
qui faisait la fête sous les palmiers /
et qui voulait danser /
avec le poivrot / au milieu des mégots /

Dans le fond des bars /
Quand je buvais / il y avait des matins
déserts /
comme des grands fleuves tout gris /
Il y avait des matins encore dans la nuit /
l'hiver /
quand on allait chez la fille chaude / sous sa
couverture /
pour faire l'amour avant le jour /

Quand je buvais /
Il y avait ceux qui venaient nous voir / Juste
pour voir /
Si c'était vrai ce qu'on leur avait dit /
Que j' voulais plus de la vie /

Je vis / JE VIS /

Part 5

Regarde le torrent, ils sont furieux.

Que je te dise comment c'était la vie là-bas
dans la maison au bord de l'Oise. C'était Serge
qui l'avait trouvée. On voulait vivre à la campagne tous les trois. Un vieux rêve. Une vieille
mélodie. Vivre près du ciel et de la terre.
C'était une belle maison. Comme les grosses
horloges qui font des blagues dès que tu te
retournes. On est partis au bord de l'Oise
comme on serait partis au Canada il y a deux
cents ans. Avec le cœur qui a peur mais qui
vibre du tonnerre de Dieu. Qui est plein de
devant et plus rien de derrière qui vient salir
l'instant. On est partis comme des seigneurs,
comme des découvreurs de nouvelles terres.
Au bord de l'Oise! Quel moral! Elle avait sa
main sur mon genou. Il neigeait sur la route.
C'ÉTAIT LE BLIZZARD!
Je ne voyais plus la route, là-bas loin dans

l'Oise. J'ai conduit la portière ouverte. Aveuglé par la neige comme au Colorado. Avec mon Indienne confiante. J'étais un grand guerrier encore. Serge était parti seul de son côté, le temps de faire quelques adieux déchirants. Il devait la regarder avec ses grands yeux bleus si bons et lui dire. Je m'en vais. Je suis un Russe. Je vais rejoindre mon pote l'Allemand et son Indienne. Nous trois ça faisait comme une couverte tourbillonnante. Tu as à peine le temps de voir le bleu que c'est déjà le rouge qui apparaît. Le bleu, c'était ses yeux doux au Russe, le rouge, c'était ma violence, le noir, c'était elle. Un noir éblouissant comme du blanc. Nous avions largué les amarres. Partis pour s'aimer toute la vie. La maison était à l'écart du hameau. Le hameau de Blincourt. Et la maison s'appelait « le Château de Blincourt ». Ma vieille Volkswagen a cahoté sur les pavés. On est restés un moment sans bouger dans la bagnole. Il neigeait encore plus fort.

On distinguait à peine la maison. On aurait dit un gros bateau ruisselant de pluie, posé au milieu d'une clairière, illuminée par les milliers de projecteurs de la neige qui traçaient dans la nuit ses feux croisés. Je ne sais pas si cela est vrai, mais il paraît, on nous l'a dit, que des milliers de lapins aux derrières tout blancs guettaient notre arrivée, cachés dans les bosquets. Et même qu'une fée blanche et une fée noire se disputaient le privilège du premier coup de baguette. Mais c'est une autre histoire. Je crois bien que ce fut la blanche la première. En ce temps.

Serge est arrivé. On est descendus de bagnole. On est rentrés dans la maison. On a branché le courant. Serge a mis du champagne dans la neige. On a ouvert les portes dans tous les sens. On s'appelait d'un bout à l'autre de la maison. On courait presque. On a choisi nos chambres. On a bu le champagne. Il faisait froid. Savait pas encore comment marchait la chaudière. La mousse a débordé de la bouteille. On a ri. On a porté un toast en l'honneur du vieux Russe mort. Qui aurait aimé cette maison perdue au milieu des neiges a dit Serge. Et l'esprit de son père a plané quelques instants avec nous. Nous emmenant dans la banlieue moscovite. Champagne! t'es bon quand tu craques sous la dent et que tu as le goût du bonheur. La gueule de mon pote! Ma gueule! Mon doux poteau! Mon ivrogne d'azur! Ah! le cœur du P.-D.G.! Je connais bien des milliardaires qui paieraient cher de l'avoir ton cœur. Et puis bien des artistes qui n'ont rien compris aux histoires de cœur! Qui n'ont rien compris à notre histoire. Qui savent pas! Peuvent pas savoir! Ce que peut bien faire le petit gros écrivain tout noir et le grand blond tout bleu Président-Directeur général! Nous on savait. On sait toujours d'ailleurs! Jamais quittés! Toujours aimés et détestés! C'est vrai mon pote que j'ai jamais beaucoup écrit avec ton pognon mais je te promets qu'un jour ça viendra. Et qu'on le descendra ensemble côte à côte ce putain d'escalier de misère avec les photographes en bas!

Ça a été la belle vie. Il y avait des chiens partout. Des rafistolés, des qui n'en revenaient pas d'être aussi peinards au coin du feu. D'avoir à bouffer tous les jours et de pouvoir aller faire chier les lapins dans les bosquets sans prendre un coup de fusil. Plus tard ça s'est gâté avec le garde-chasse. Un sale con qui faisait peur aux arbres. Quand c'était l'époque des violettes, il y en avait plein loin. Comme des grandes vagues et l'odeur te montait au pif, te submergeait.

Je vivais les arbres et les imperceptibles palpitations de la nature. Comme si je faisais partie d'elle, de ce végétal dont il m'arrivait de voir les yeux, au hasard de crises d'éthylisme.

Un matin sur une plage déserte, balayée par une future tempête, qui s'annonçait par des nuages lourds courant vers l'horizon avec un bruit d'astronef, j'ai vu le regard du ciel. J'ai parlé avec ce regard. La femme avec qui je vivais à cette époque avait tenté de m'apaiser pendant des jours et des jours. Mais je savais bien moi que je l'avais vu le regard du ciel!

Part 6

Au plus profond du printemps.

Jamais été enfant. Ça manque. Toujours grave. A regarder les moucherons. Élever des escargots, dormir dans les bras d'un ferrailleur, ailleurs. Je piquais de plus en plus de pognon à ma grand-mère. Je savais bien que ça lui faisait de la peine. Ça m'en faisait aussi mais j'étais persuadé que j'étais un petit salopard, alors.

C'est de là que m'est venue l'idée de dire que c'était mon anniversaire à chaque fois que j'étais trop rond. Même qu'un jour j'ai voulu me foutre par la fenêtre. C'est un des mecs qui m'aimaient bien qui m'a rattrapé. Lui non plus le soleil ne le faisait pas se marrer. Il avait eu un accident. Brûlé à 80 pour cent. Plus de tronche, je veux dire, plus de nez, plus d'oreilles, plus de paupières, plus de doigts et par-dessus une perruque. Il a été mon pote très longtemps. Lui, il fallait bien qu'il aille voir ailleurs s'il avait droit au bonheur. Comme moi j'étais sûr que j'y avais pas droit on s'est jamais revus.

Il s'est marié depuis, y paraît, et il élève des moutons quelque part en France. Je pense souvent à lui.

Sauront jamais les universitaires. La plaie. Les cressonnières, et puis l'ombre bleue du ciel qui s'assombrit. Paysan aux mains pleines de misères qui m'a fait peur. Croire aux gendarmes. Interdit d'être là. Viens dans ma tanière. Sans lumière. Humide. Vieille table de bois, gros chat ondulant, chien aux yeux jaunes.

J'élevais des escargots, des tritons et puis des salamandres. Je passais des heures à les guetter dans les cressonnières et puis je me matais dans l'eau, avec un chapeau tout bleu qui venait du ciel, en me disant que j'étais un gentil garçon, et qu'un jour quelque chose ou quelqu'un me retirerait ce que j'avais là au milieu de la poitrine et qui m'écrasait.

Maman... maman!...

On m'a parlé de tes bras si doux. De cette chair qui sent bon les fleurs. Oh maman... ton fils se meurt... Je t'en prie, reconnais-moi. J'ai tant besoin de toi. Que faire de ma vie maintenant... Je n'aurai de cesse. Et si je meurs cette nuit, comment le sauras-tu? Comment faire avant que je perde connaissance, avant que je plonge. Comment faire pour savoir que tu m'aimes, que tu regrettes et que tes yeux pleurent ton fils maudit. J'étais fait pour chanter ta gloire. Il fallait calmer ma colère. J'étais un enfant de cafard. Sûrement pas un enfant de l'extase. Je faisais pleurer ma grand-mère en lui disant que j'avais rien à foutre de ma mère. Elle me répondait au milieu de ses larmes que je pouvais pas dire des choses comme ça, que je comprendrais plus tard.

Dommage, c'est beau je crois la famille.

Mais j'ai eu des chiens et des terrains vagues.

De ma fenêtre de chambre, je vois la gare. De la fenêtre de la « salle à manger », je vois une voie ferrée avec des trains dessus. La voie ferrée elle vient pas de la gare que je vois de la fenêtre de ma chambre, elle vient d'une autre gare. Et puis sur la droite, si je me penche un peu, il y a la nationale qui va à Paris.

La fenêtre de la chambre que je partage avec ma grand-mère est ouverte.

J'entends la musique d'un bal.

Alors je me suis levé. Je suis allé à ce bal.

Presque en courant parce que j'ai peur du noir. Et puis je suis resté au bar à boire de la bière. Il était tard. Je suis rentré à la maison bourré et j'ai encore insulté ma grand-mère. Elle a pleuré et moi j'ai ricané.

Le temps a passé. J'ai commencé à haïr le soleil. Ce putain de soleil qui me rendait plus pâle.

Le soleil il est beau quand il se lève ou quand il se couche. Quand il se couche je m'assois sur un talus, au bord de la voie ferrée, et j'attends. J'attends les grands trains qui viennent de loin. Mais dans ce putain de pays ils ne viennent que de Paris. Alors je ferme les yeux quand ils passent et j'écoute le bruit. Ça me fait du bien et ça me fait peur, comme s'il allait quitter ses rails et en finir avec moi, m'écarteler sans que j'aie le temps de crier. Et de ma tête, immobile, anonyme, il pousserait des fleurs de mort que les jeunes filles viendraient cueillir en riant.

Je me suis fait engueuler par le chef de gare. Il m'a dit que si je voulais me foutre en l'air j'avais qu'à aller ailleurs.

Dans la boutique de ma grand-mère, il y avait des bustes en plâtre pour les pull-overs dans la vitrine. J'ai dormi avec cette nuit.

J'ai senti la sueur ruisseler dans mon dos et sur mon visage. J'ai senti mon corps... son odeur... Les filles qui passaient sur la route, elles, trouvaient ça dégoûtant, je suis sûr. J'avais envie de me frotter contre elles... comme un chien. Je me suis branlé. Il y avait un avion dans le ciel.

Moi je voulais devenir ivrogne. J'avais les dons, une envie de me perdre sans fin et de mourir sans avoir connu le grand amour. Ou de mourir de trop l'avoir connu.

Elle comprend pas la grand-mère que je ne peux pas faire l'amour tant qu'elle fera semblant que ça n'existe pas, et que même si ça existe c'est dégueulasse. Même mon chien ne baise pas. Ça la gêne aussi.

J'avais des boutons sur la gueule, un béret sur la tête, un chien et une grand-mère. J'ai volé une moto et je suis allé à la sortie du lycée, où les filles sortent, jupes écossaises au vent, comme de jeunes prêtres fous. Je les suis, reviens sur mes pas, les attends, derrière un tournant, reviens encore, puis finis par trouver quelqu'un à qui parler. Il joue au football, normal. Il n'y a que ceux-là qui me parlent. Ils ont besoin de moi, le dimanche après-midi. Je laisse la moto là.

En quelle classe, elle me demande. Je dis n'importe quoi, vite pour qu'elle n'ait pas le temps de se souvenir que j'ai pas de classe, que j'ai jamais baisé et que tout ce que je connais de la vie je l'ai inventé. Elle me donne rendez-vous pour demain. Je demande si c'est sûr.

Elle sourit. Et puis d'un seul coup, elle a tout deviné. Je reste comme un con, et ne lui redemande plus si c'est sûr. Je la raccompagne au train. Je reprends la moto et j'invente son corps et ses gestes.

Cette nuit, je ne dors pas avec le buste en plâtre.

J'aurais l'impression d'être infidèle.

Je suis allé la chercher à la sortie du lycée. Je lui ai dit que j'avais volé la moto. Elle a rien dit. Ça m'a fait peur. Je l'ai emmenée chez un ami. Ses parents n'étaient pas là. On est montés dans la chambre. On n'a même pas fait l'amour. Parce que je savais pas. Elle non plus. Mais je l'ai caressée. Elle a jamais voulu me revoir. Elle était belle et rousse.

On a l'impression qu'on va tout savoir faire, qu'on va en prendre plein les mirettes et pouvoir s'endormir le soir en y repensant. Moi, j'oublie toujours quelque chose, ou je regrette de ne pas l'avoir mieux regardée.

Comment c'est fait une femme ?

Part 7

C'est beau une ville la nuit.

J'ai voulu aller voir la ville. La grande ville. J'en pouvais plus de mon vélo avec ses fanions bidon. Je voulais voir l'oiseau de feu. Voir les filles des villes.

Les matins de l'oiseau de feu sont mon instant, ma vérité.

Seul au milieu des haleines fraîches, je me fraie mon chemin à coups d'angoisse. Et la mienne et la leur. Marchant vers un autre bateau plein d'odeur. La cale est ouverte, et l'oiseau de feu me livre enfin son ventre. Je suis mon propre mousse, mon propre matelot, mon propre capitaine.

Alors je vogue, je tangue, toutes voiles dehors jusqu'au port où comme une brute j'écrase mon corps contre la jetée.

J'avais trouvé mon premier et dernier port. Je le vivais à fond de cale avec une tribu d'imprécateurs. De rêveurs alcooliques. Et je prenais enfin les filles par la main.

J'aimais ces matins clairs au printemps où, sortant d'un infect rade obscur et apaisant, nous découvrions qu'il ferait très beau ce jour-là. Avec l'ami se dire à demain, déchirants de solitude. Et simplement au mot demain renaître une nouvelle fois.

Demain c'était sûr on croiserait Blanche-Neige. Et si on la croisait pas on reverrait les potes, on reparlerait d'elles en trinquant. C'est beau une ville la nuit.

A Paris, je me suis tenu peinard quelques mois. Le temps de découvrir Saint-Germain-des-Prés. J'ai pas essayé plus loin. Je me suis arrêté là. Comme un chien de chasse. Devant le faisan. C'était l'aubaine pour des mecs comme moi. La caverne d'Ali-Baba. La nuit l'été ou au printemps si tu connaissais personne, la rue Saint-Benoît c'était un vrai paradis. Tout le monde dehors. La palabre. Le marché arabe. Les pédés, les autres, les musiciens, les pas musiciens, les acteurs. Tous ceux qui gargouillent la nuit. Toute une rue qui se reconnaît et s'immobilise en milliers de bruissements. Des rires et des verres qui tintent.

Et puis il y avait Jean. Je l'avais croisé au

hasard. Sa gueule de chien. Il m'avait invité à bouffer un hachis Parmentier. Dans un restaurant. Le Petit Saint-Benoît. Un restaurant tout en bois. Avec des serveuses qu'auraient pu être ma mère. Tabliers blancs et fils d'argent dans les cheveux. Jean avait son rond de serviette en bois à son nom. Elles étaient vachement polies avec lui. Je crois qu'elles l'aimaient bien, le vieux. On se croisait. « Bonjour tu bois un verre ? » Je m'asseyais à ses côtés à la terrasse du Flore. On parlait. Il me présentait des gens. Il me posait des questions. Comme ça. L'air de rien. Il me reprenait quand je faisais une faute en parlant. Un jour il m'a vu avec quelqu'un qu'il n'aimait pas. Qu'est-ce que j'ai pris ! J'ai pensé que le vieux il charriait. On se connaissait depuis trois ou quatre jours seulement, et parce qu'il me voit avec quelqu'un qu'il n'aime pas, voilà qu'il me traite comme une merde ! Après un moment, je pose le verre sur la table et je lui dis que je l'emmerde, qu'il n'est pas mon père. Il me regarde avec ses yeux vieux tweed délavé et il me dit : « Je voudrais bien. »

Je ne lui ai pas dit que ça tombait bien. Que j'étais d'accord. On s'est plus quittés pendant quelques années. Il m'engueulait. Et je me régalais. Je vivais mon père. Mon premier père.

Il a protégé plein de jeunes mecs, plein de jeunes nanas.

Sans rien en échange! Peut-être simplement de pouvoir nous engueuler! Mais de nous engueuler comme ça fait bon!

Comme ça fait si t'as un père qui t'aime comme un fou!

On se laissait faire. Comme des jeunes chats. Un vrai régal. Il nous déshéritait à tour de rôle. Une histoire formidable cet héritage. Je ne sais plus d'où c'était venu, comment. Mais un jour il s'est mis à nous déshériter lorsque nous faisions des conneries. On a marché dans le jeu. On faisait la gueule. On disait. «Oh! déconne pas, Jean, me déshérite pas.» Il répondait avec un petit sourire. «Bon... bon on verra... on verra.» Tout le monde savait qu'il n'y avait pas d'héritage. Lui ça le faisait marrer cette histoire d'héritage! Il était content qu'on veuille bien jouer. Pas content du tout lorsque je me bourrais la gueule. Il me disait. «Écris! Écris ou apprends un métier!»

Il se faisait chier avec les mecs de son âge. Il avait cinquante ans. Jamais malade, juste un peu de rhume comme tout le monde. Il est mort en deux mois. Sans qu'on sache vraiment de quoi. Le jour où il est mort j'étais pas là. J'étais en train de refaire mon monde de con. Pardon, Jean. Je sais que tu m'aimais un peu plus que les autres. Oh! juste un tout petit peu plus! Un tout petit peu plus que les autres pour ne pas être injuste.

Mais juste un petit peu plus quand même.

On avait peut-être bien tous cette même impression! Chapeau le vieux! Vieil anarchiste! Vieux ronchon avec son gros pif tout percé! Et ses taches sur sa veste. On lui disait qu'il pourrait quand même s'en acheter une autre. On le faisait chier avec ses fringues! Il haussait les épaules. « Elle est très bien cette veste. » Il avait du fric. Il avait l'air d'un clodo. Il disait que les fringues ça ne servait à rien. Un sauveur d'enfants à la dérive. Il avait des cheveux blancs et une vieille 403 jaune décapotable complètement déglinguée. Il allait à son boulot avec! A Saclay. A l'usine atomique! Oui, Jean, c'était une grosse tronche, un gambergeur. Un savant quoi! Il ne faisait pas de violon pendant ses loisirs. Il venait nous donner à manger. Il nous emmenait dans sa grande maison à la campagne. Il gueulait si on ne faisait pas notre lit. Il voulait qu'on se lève de bonne heure.

Je ne sais pas si cela est vrai ou si nous l'avons inventé, tous ceux qui formaient ses fils et ses filles, mais on racontait que le jour de ses noces, sa fiancée n'était pas venue et qu'il ne s'en était jamais remis.

Part 8

Lola Montes.

Là-bas, au bout de la rue. Max, Max le toubib.

Max le toubib a mis sa vie en l'air pour une souris.

Il est allumé! Il s'occupe de danse maintenant.

Déglingué avec un moral d'acier. Dès qu'il est saoul, il parle avec ses bras. Il y en a qui parlent avec les mains, mais Max il parle avec ses bras! Il est toujours un peu ronchon avant le premier verre. Un peu ronchon, pas très bavard. Je le piège ou il me piège au premier bar. Je lui parle de mes soucis. Il a un sourire de travers et vide son verre. Lui, il n'en parle plus de son souci. Il garde ça pour lui. Il se barre en me disant qu'il va à l'Aquarelle, rue de Seine.

J'essaye de l'entraîner vers le Flore. Rien à

faire. Il dit qu'il y a trop de lumières. Je sais que c'est parce que l'endroit lui rappelle la fille printemps. Ça faisait longtemps que je n'avais pas vu Max.

Marrant! Swingue mon frère! Le clown a un gros derrière.

Je suis interdit dans tous les rades à la mode. Il y a que là que tu peux rencontrer les sophistiqués de l'alcoolisme. Tu parles! Il ne faut pas trop les secouer. Ça aime la tranquillité, ce genre de poivrots. J'ai plutôt tendance à élever la voix. Genre scandale merdeux. Avant quand j'avais la pêche, je soignais mes scandales. Malheureux mais avec du talent. Maintenant, je m'en tape du beau linge. Je m'en tape de mon talent. Je m'en tapais parce que je pensais qu'il serait éternel. Maintenant je sais que j'ai plus de talent dans la vie.

Il pleut. Je suis toujours moins malheureux lorsqu'il pleut. Si je pouvais l'apercevoir. Je suis un mendiant. Je m'appuie contre un grand panneau publicitaire. Genre bonheur à deux au bord de la mer bleue. Fusillé par les projecteurs. En pleine lumière.

J'ai tout joué. Toujours cru que la vie n'était qu'une répétition générale d'autre chose.

J'ai joué ma vie.

Alors que je suis qu'un danger mou, un gros furoncle purulent. Cradingue l'âme! Nase le cœur! Jaloux vilain pou!

Je sais pourquoi elle m'a largué. J'ai toujours été vieux. Toujours aimé le passé. Je n'oublie rien, elle oublie tout. Elle m'a jamais réveillé en pleine nuit. Moi non plus. Voilà l'erreur fatale. J'avais oublié le corps et ses ardeurs, comme lorsqu'on s'endort l'hiver. J'ai trop confondu le rôle du père et de l'amant. Et je suis devenu le vilain mari.

Elle a les seins lourds et le bout balance vers le ciel comme une grosse virgule. Je savais qu'avant de me connaître il lui était arrivé de faire l'amour plus souvent qu'elle n'en avait envie. Alors moi j'ai jamais voulu la forcer. Je me disais qu'elle finirait bien par venir à moi. Qu'elle me désirerait. Qu'elle ferait tomber mon masque et me prendrait la taille dans ses bras sans que j'en rougisse. Je me suis gourré. C'était à moi de le faire. C'était à moi de forcer son envie. Son corps. N'empêche que j'ai la flotte qui me dégouline dans le cou.

Je m'en fous. J'essaye de me souvenir de son cul. Impossible. Comme quoi j'ai pas dû le regarder beaucoup.

Faut que je me barre. Que je change de quartier. Si jamais elle venait. Une fois c'est arrivé. Je la vois. Je cours après elle. Je me suis foutu à genoux. Je lui ai dit qu'elle était la plus belle. Que je l'aimais. Que j'en crevais. Elle m'a regardé avec un petit sourire. Et puis elle s'est accroupie derrière une voiture. Elle a baissé sa culotte et s'est mise à uriner. Je suis sûr qu'elle savait que ça me faisait mal. Il y a un type, en me voyant chialer, il me demande ce qu'il m'arrive. Je lui dis que c'est parce que ma femme, mon amour, ma vie est en train de pisser comme une chienne. Il s'est foutu de ma gueule.

Je passe devant la station de taxis. Le téléphone sonne.

Si c'était elle! Je m'inonde! Tous les téléphones! de la ville sont à moi où que je sois.

A chaque sonnerie, je tressaille, je trébuche, je tends la main, je regarde autour de moi et brusquement l'espoir s'envole. Même dans la maison là-bas j'entends le téléphone. Faut le faire! Il n'y a pas de téléphone! Je suis obligé d'aller à la poste.

Elle est chouette la poste. Elle est toute en bois. Une toute petite poste en bois.

Tous les matins je vais y téléphoner. J'y vais avec Coin-coin.

Ils ont déjà vu un type qui téléphone, qui pleure, mais pas avec un canard sous le bras. Un jour il a chié sur le comptoir. Ils m'ont traité de pauvre jobard. Il a fallu que je leur dise que ma femme m'avait quitté. Ils n'ont pas paru étonnés. Je ne sais pas ce qui m'a pris. Je leur ai dit qu'elle m'avait demandé de choisir entre Coin-coin et elle.

Part 9

Une méduse du nom de nostalgie.

Il fait froid. Il n'y a plus de mazout dans la chaudière. Je suis devant ma machine et rien ne vient. Les chiens dans le jardin sont assis sur leur derrière. Ils savent que je suis là. J'ai essayé de manger. Rien à faire. Dès que je mâche, j'étouffe. Je n'ai pas vu ma fille depuis quinze jours. Impossible de la tenir dans mes bras. Mon corps s'en va. Je ne dors plus. Coin-coin a grossi. Il me fait des câlins. L'oreille de Polo clébard est à l'envers dans le jardin. Avant ça me faisait rire.

Je suis mort. Je ne serai jamais beau. Je n'ai jamais eu de grâce. J'avais les mains courtes. C'est pour ça qu'elle est partie. Elles manquaient d'ailes mes mains. On dirait qu'ils le voient tous, qu'elle est partie. Je les vois d'ailleurs qui pointent leur doigt en riant vers ma braguette. « T'as plus de sexe... t'as plus de sexe... »

Et moi je cours et, plus je cours, moins je trouve d'endroit pour me cacher. Je le sais bien que je n'ai plus de sexe puisqu'elle est partie avec.

Je me demande si cette fois-ci je reviendrai. Si je reviendrai dans la vie. Je vis dans du décolorant. Je me souviens des jours dorés. Je me souviens de l'ombre qui tremble. Je me souviens du pain, du café qui fume, des yeux clos, du soleil qui claque derrière le rideau. Du rire dans la maison claire, de l'âme qui s'envole au matin. Je me souviens de la peau, des doigts qui courent gros câlins. Je me souviens et tout revient. Nostalgie imbécile, quitte-moi donc cet après-midi. Laisse-moi souffler, me reposer. Je suis épuisé. Je voudrais vivre comme hier, avant ce jour maudit où quelque chose s'envola. Imperceptible absence. Vivre dans du décolorant est épuisant.

Emmène-moi encore dans cette chambre blanche, d'un juin éclatant, où j'ai rencontré l'enfant d'Asie et de Lozère, ma terre.

Il fait nuit. Je marche dans cette maison close. Les chiens hurlent. Je vais rester seul là-dedans. Je n'ai plus de somnifères. Je ne connais personne qui puisse m'en donner dans ce village. J'ai pas d'ordonnance. J'ai bouffé la ration d'un mois en cinq jours.

Il me reste deux litres de rouge. Je fais du riz aux chiens. Ils ont les yeux qui tombent par terre de faim. Je vais au bistrot du village boire une bière. J'ai le coude qui glisse du bar. Il y a un mec qui met un disque. Coup classique. Il met un truc que j'aimais avec elle. J'en peux plus de ce bistrot. Ma camionnette est en panne. Je suis coincé dans ce village pourri! J'ai pas le courage de faire du stop. J'ai plus envie de raconter mon histoire. J'arrive plus à parler. Je ne sais plus rien.

Dimanche en décembre. Dans la plaine des bois. Des bois des villes. L'écorce des arbres comme la peau des vieux éléphants qui dansent dans le froid souvenir. Du froid qui retient, qui ramène le passé. Les enfants qui crient emmitouflés avec leurs joues comme des pommes, de chaque côté du bonnet, et leurs petites mains recroquevillées. Square d'hiver où les regards sont bleu passé. Solitaire. Les yeux des femmes sont perdus dans la fourrure.
Leurs pieds foulent l'été mort avec des bruits de mer. Beau moment pour les chasseurs d'instants. Le dimanche je vais chasser. Croiser mes frères et sœurs. Dimanche d'hiver. Un bien sec. Un bien froid. Un à te foutre le nez à l'envers. Je chasse le bonheur. La position des corps penchés l'un vers l'autre comme une prière.

J'ai perdu le temps sans la chambre de l'enfant avec maman qui chante. Je m'enferme dans leurs rues désertes, longe les avenues, comme un assassin perdu.

J'écris à ma fille tous les dimanches sur mon carnet bleu.

Elle joue là-bas chez Mamie. Elle joue mon enfant. Mon joli sourire si doux, ma déchirure, mon abandon.

Les bistrots, le dimanche on dirait des cliniques, des salles d'attente. Je me suis assis dans mon coin. Il est seize heures. Les amoureux viennent prendre leurs œufs au jambon, les yeux gonflés. J'imagine un autre endroit, terriblement proche, quelque part dans la ville, où elle beurre au même instant ses tartines. Lui la regarde et la voit nue comme cette nuit. Elle sourit certainement. Moi j'ai les mains de chaque côté de mon verre. Elle est loin. La fille assise en face de moi, la bouche gonflée, presque meurtrie. J'en imagine les raisons. J'ai envie de chialer. Elle est belle aussi. Le type est heureux de ce que ses yeux ont vu. Et retenu. Moi je me chiffonne. Je suis un gros tas. Avec des vieilles couilles toutes ridées. Et puis mes mains imbéciles! Je dégouline!

Je le vois en train de fouiller son ventre! Et puis elle qui l'aime, qui tend ses bras, et puis ses seins qui frisent.

Je me jette dans tous les bars. Je m'accroche à mon verre. Il tombe et m'éclabousse. Je pue la bière. Le garçon fait la gueule. Cette nuit j'irai dormir avec ma fille. Mamie me passera la main dans les cheveux.

Je me suis cassé la gueule dans le caniveau. Je reste un moment immobile sans vouloir bouger.

Où boire et raconter mon histoire un dimanche soir?

J'ai raconté son départ des milliers de fois. Par tous les bouts. J'ai les ressorts dans la tête qui pètent. Je me perds dans mon récit! Dislocation du récit! Explosion de la trame! Commencer par le début! Commencer par la fin et finir par le début! Avoir l'impression d'oublier un détail. En inventer un et le rendre vrai. J'ai raconté mon histoire à tous ceux qui voulaient l'entendre. Même à ceux qui ne voulaient pas. Je les retenais. Je les saoulais. Mettais le doute dans leur propre histoire. Halluciné par, hanté par une seule idée. Elle ne m'aimait plus. J'étais rejeté. Elle n'aimait plus l'odeur de mes pieds. Je n'étais plus fort, merveilleusement fort, j'étais gros. Je n'avais plus un beau sourire. Il me manquait une dent devant.

Je n'ai plus d'amis. Elle me les a pris. Elle est jeune, belle, désirable, libre, gaie.

Je suis gris! Je suis sale! Je pleure! Je bois! Je crie! Je hurle! Je ne parle que de ça. Je ne vis que pour ça. Je les attends devant la porte des chiottes pour finir mon histoire.

Elle est la vie. Ils m'abandonnent. Et moi petit à petit je me recroqueville dans ma plaie. Dans ma maladie. J'ai pissé dans mon froc en plein embouteillage l'autre jour. Je me suis pas retenu. Comme ça. J'ai même pas pleuré. J'avais rejoint mon état naturel. Animal sale.

Mon corps est suspendu comme l'esprit. Toujours plus haut. Avec des visages, tous les visages que je rencontrais, sans voix. Comme si une paroi de verre me séparait d'eux. Je ne communique plus. La liaison est rompue. Plus envie. Pendant un moment j'ai beaucoup marmonné. Sans arrêt. N'importe où. J'ai disparu au fond de l'horizon. Je voulais envoyer un télégramme à tous mes anciens amis. Faire-part de mon propre deuil. Annonçant ma mort. Et puis dans la rue s'ils m'avaient rencontré leur assurer que je n'étais pas moi. Être étonné d'avoir une telle ressemblance, un tel jumeau.

Aller même jusqu'à boire un verre avec eux.

Je ne l'ai jamais fait. Je voulais qu'ils sachent que j'étais en vie. Pour les faire chier!

Eux ils observaient. Va-t-il en mourir cette fois-ci?

C'est peut-être pas exactement ce qu'ils pensaient. Faut être lapidaire des fois. Ça donne de la colère. Ça fait vivre. Quand t'es plus en colère t'es foutu.

Je cherche la fenêtre avec la lumière de la lampe de chevet.

Il fait nuit. Je marche.

Il pleut. J'ai les panards dans l'eau et plein d'odeurs qui me remontent à la gueule.

Des odeurs d'avant, ou peut-être même des odeurs qui n'ont jamais existé, mais qu'on invente pour planter le décor et se rapprocher de l'invisible. Jour désenchanté où tout se débine, sans savoir que faire pour être aimé. Jour amer. Jour solitaire où tout se refuse et rien ne sert.

Les rues sont vides. Aucune girafe dorée en vue. Même les spadassins ont le cafard et traînent leurs meurtres avec désespoir. En ces temps troublés même les statues revendiquent.

Part 10

Après que nous avons fané notre enfant rendue
con comme le tourment.

J'allume la lumière dans la chambre de
Mamie. Je veux un pyjama. Elle me regarde.
Elle est désespérée. Elle me dit que je vais
réveiller la petite.

Je mets un pyjama bleu ciel. Il est bien
repassé. J'ai vraiment l'air d'un malade, d'un
hospitalisé, d'un qui ne parle plus. Je me
regarde dans la glace avec mon petit col et les
boutons blancs cousus bien serrés. J'ai rien
d'un amant. Où est-il le corps fougueux?

Il n'a jamais existé. Tu le sais bien banana!
Juste bon à frimer! Je dis à Mamie que je
l'aime et que ça va s'arranger. Qu'il faut qu'elle
me fasse confiance. Je me penche pour lui faire
un baiser. Un tiouk. Comme je disais lorsque
j'étais petit. Un gros tiouk.

Le tapis glisse sur le parquet. Je tombe par

terre au pied du lit. Je ne bouge plus. Alors Mamie se soulève, tend un bras vers moi et je sens sa main dans mes cheveux. Elle a du chagrin, Mamie. Elle s'inquiète pour quand elle ne sera plus là. « Va te coucher mon petit. Tu verras. Elle reviendra. Et puis il y a ta fille. Elle est si gentille. Elle a besoin de toi. – Je sais Mamie. Je sais. Mais je ne vaux rien. Je suis bon à rien. Si tu savais comme elle a raison. »

Je lisais mon journal au lit. Elle était trop jeune pour ça. Trop jeune et trop belle. Avec plein de trucs dans le ventre. Et puis des grands frissons mystérieux. Elle comptait sur moi pour lui dire que ce n'était pas le vent. Que c'était son amour pour moi, que c'était mon amour pour elle. Elle est partie encore plus perdue qu'elle n'était venue. Tu sais pas tout ça, Mamie. Mais Mamie elle peut pas savoir tout ça. C'est une femme de devoir.

Mamie je ne saurai jamais vraiment pourquoi j'ai vécu avec toi. Pourquoi avec toi et pas ma mère. Mais je te jure bien que je ne le regrette pas. Tu m'as toujours tout pardonné. Tu aurais certainement voulu que je sois autre chose. Quelqu'un de respectable. Mais je ne pouvais pas te faire ce plaisir. Je ne pouvais pas. Tout m'attire vers le vertige. Je sais ce que je peux être. Mais je n'y arrive pas.

Je dors. Je sais que je dors. Il faut que je

dorme. Ma fille se lève. J'entends Mamie, là-bas dans la cuisine qui prépare le petit déjeuner. Je les entends toutes les deux. C'est bon. Je coule encore dans mon sommeil. Juste un petit coup de poignard. Juste qui dit qu'elle n'est pas revenue. Que ce n'est pas ma vie. J'allume la lumière pour ne pas me rendormir dans le noir, avec le jour derrière les gros rideaux lourds.

Je suis réveillé par un bruit qui n'a jamais existé. Je me lève. J'ouvre la porte de ma chambre. Il y a un gros tas de jouets, de papiers de toutes les couleurs, de bouts de chiffon. Je suis obligé de le pousser pour passer. Ma fille est assise par terre devant le tas. Elle me sourit. Mamie me dit en me regardant gravement. Émue.

« Ta fille depuis ce matin à quatre pattes va chercher tous ses jouets dans le salon pour les mettre devant ta porte. »

La môme regarde son tas et me balance un sourire d'Indien.

Un sourire millénaire. Un sourire qui vient de si loin, qu'une seconde je décroche de la terre. Je quitte le sol.

Avec les yeux qui font comme des myosotis brisés. Je rentre dans la prunelle et le paysage n'est qu'amour. Comme une clarté soudaine. Comme sur les photos quand l'Indien te pardonne ta misère de pauvre Blanc. De pauvre

Blanc qui ne sait rien. Qui ne sait rien du vent et de ses odeurs. Qui ne sait rien des chevaux fous et de leurs mystérieuses colères. Qui ne sait rien des femmes et de leurs silences.

Je t'aime ma fille. Viens. Je vais t'emmener voir les primevères. Mamie fait une valise. Je téléphone à mon pote, un vieux pote bassiste. Il habite à la campagne. Il vient me chercher.

Un vieux ritalo qui se gratte le poil. Un grand corbeau rigolo. Témoin de mon mariage. Quand il allait au lycée je lui piquais sa mobylette. J'attendais qu'il soit en classe. Je rentrais dans la cour vide. L'été, quand les fenêtres étaient ouvertes j'entendais des bouffées de rire. Un jour, les gendarmes m'emmènent chez lui pour savoir si la famille voulait déposer plainte. Et là j'ai vu un truc que je n'oublierai jamais. Ma première carte postale. Il y avait la mère, les bras croisés sur le perron. Brune comme un beau pruneau. Belle. Ses yeux me jetaient des éclairs. A sa gauche derrière une verrière, un homme avec une grosse crinière blanche en train de jouer du violon. C'était la mère et le père du ritalo. Là-bas en Italie ils sont habitués. Ils crient très fort en te disant que tu finiras sur l'échafaud, que tu vas tuer de chagrin ta pauvre mère, mais faut pas oublier l'écharpe en sortant quand il fait froid. J'ai mangé la soupe avec eux. Depuis on se suit de loin en loin dans la vie avec Luigi.

Il a acheté une Jaguar. Il est très fier. Une vieille Jaguar. Elle est belle. Mais un bruit épouvantable. Pas le pot d'échappement! Le moteur! Je lui ai dit que je ne savais pas que Jaguar faisait dans le diesel. Oh la la! pas content Luigi! « Elle tourne comme une horloge. Tu n'y connais rien! Un diesel ça! Pauvre pomme! » Et puis on parle musique. Il me dit qu'il aimerait bien que j'apprenne le saxo ténor. Il fait beau. On roule en pleine campagne. Je le vois, Luigi, signer sur le gros livre à la mairie. Content pour moi Luigi en ce temps-là. Il y a Stan Getz à la radio. On se tait sans se prévenir. Il y a ma fille qui dort à l'arrière. Une petite cigarette, pour bien regarder l'hiver qui fait ses bagages, pour voir l'hiver qui se décolore. Il y a du vert qui vient. Au hasard.

Nous avons passé huit jours ensemble. Avec bonheur. Je m'en souviens bien. On allait rendre visite à d'autres musiciens.

A travers la vallée. Comme au pays de la musique. Chez le bassiste on parlait contrebasse. Chez le pianiste on parlait piano. Ma fille joue dehors avec son fils. Ils arrosent les chiens.

Part 11

La fille dans les champs... C'était la première. Elle était rousse. Rousse rouge! J'avais peur du bas... j'avais les pognes qui tremblaient. Je me souviens très bien. C'était derrière la cabane d'un jardin potager.

Sur le chemin entre son lycée et chez elle.

J'étais tellement con, tellement timide que je flirtais avec mes MOUFLES quand il faisait froid l'hiver. Les petits nichons tièdes, mon cul avec les moufles! Tu vois un peu l'espace qu'il peut y avoir entre le soutien-gorge et le petit nichon. Pas grand hein! C'est drôlement joli. J'ai toujours trouvé que c'était drôlement joli. Et puis, comme le froid pénètre dans le corsage, le téton durcit. Je me souviens. Jolis petits seins. Soutien-gorge jeune fille. Tu vois ce que je veux dire? Léger. Pas l'armure quoi! Du genre qui s'écarte jusqu'à la pointe du sein.

J'ai jamais osé lui toucher le zizi. Elle était si douce. Pourquoi les douces n'aimeraient pas ça?

On se collait l'un contre l'autre. Je bandais comme un fou. Il m'arrive de jouir dans mon slip. Tu as toujours la bite coincée par le slip ou le pantalon. Ça fait comme un garrot. Alors ça dure plus longtemps. Elle se dégageait de temps en temps. Elle me disait qu'elle m'aimait. Ça mettait le compteur à zéro! L'emmerdant c'est quand il y a juste un frottement de trop. Juste un.

Obsession. Je marche dans la rue, les yeux cernés de trois branlettes dans les chiottes de bistrots qui puent. J'ai mal au corps, j'ai mal au cœur. Dégueulasse. Belle gonzesse. Je mate.

Glisse dans la merde des chiens. Elle sourit. Je sue. Juste sous le nez. C'est salé. Les seins par l'échancrure. Elle me regarde. Elle monte dans l'autobus. Swingue gros con, pense à mon cul! Elle m'oublie. Il ne me reste que les putes. Elle retire une poussière bidon sur son corsage. Pendant que je tremble sur mes bras pour la voir. Rien à faire ses yeux glacés. Dix sacs. La rue. J'ai plus envie. A la dixième bière riquiqui le zizi! Grosse bite molle! C'est la guerre. Encore une bière. Aime-moi. Prends-moi dans tes bras. Je rentre pas à la maison. Je boirai jusqu'à la fin de la nuit, avec toi, m'ouvrir en deux. Saigner des deux yeux. Taxi au ralenti. Embouteillage.

C'est solo, l'aigri, qui veut dormir pour pas avoir peur.

Vous êtes toutes des reines de Saba/
Même les putains aiment Chopin/
Je te le dis femme/
C'est des conneries d'aigri/
Qui dit qu'on vous méprise/
Et si les hommes se croient/
n'allez pas penser à l'orgueil/
Ce n'est que pour vous rendre plus belles/
Comme les gazelles qui défilent lentement/
Dans la mémoire des amants/

Homme solitaire/J'ai vu des montagnes le soir/
avoir des ombres de pudeur/
comme la lampe magique qui dévoile vos ardeurs/
Donnez-moi des ailes pour que j'atteigne votre paradis/
Je sais que votre regard y est multicolore/
et que les reptiles s'y suicident/

Femme/Je t'aime tant et tant/
Que silencieux/je tourne ma nuit entière et
ma vie durant/
comme un aventurier étonné/
Qu'il y ait encore des prés dorés/
battus par les algues à la senteur si douce/
Que j'y passerais ma vie et mon âme/
sans que jamais je ne regrette d'autres con-
trées/
Je veux connaître vos premiers cheveux
blancs/
votre douceur extrême/vos emballements/
Mais déjà/
La ville étoilée comme les yeux d'un singe/
s'entrecoupe de filets de sang/
Déjà/comme en été/
un nuage noir/fait frissonner/
les pans éclatants des champs/

C'est comme cela que les hommes découvrent
les traces de leur destin/
C'est dans ces traces qu'ils trouvent les signes
de leurs défaites humaines/
Alors ils courent volontairement à leur perte/
pour accélérer le mouvement/
afin de vivre plus vite encore/leurs cha-
grins/

O femme/Je suis ton ami unique/
Je veux être ton dieu imparfait/

J'ai rêvé qu'un seul de tes gestes/
soit le ralenti de ma vie/
Te voir vivre enfin/
O femme/Partage ma furtive destinée/

La fille est en train de se rhabiller. Elle dit qu'il faut que je me barre. Dans la rue il fait froid. Un gars me croise, sans regard. Comme s'il voulait pas que je voie. Je connais. C'est Noël.

Cradingue. Le P.M.U.!

Je vais de temps en temps mettre une pièce sur un bourrin.

Je finirai sur l'échafaud. J'entends Mamie qui me le dit.

Les gonzesses et les bourrins, la came et la bière. Elle voulait que je sois docteur. Je m'accoude au bar. Je commande un demi. Dans le fond du café, derrière le guichet du P.M.U., une gonzesse superbe. Une toute brune. Comme les affiches sur les îles, où il fait beau toujours et où ça rime avec amour toujours. Tu vois ce que je veux dire? Un vieux rêve quoi. Elle me regarde en souriant. Oui c'est moi qu'elle regarde. Avec un petit sourire, encore.

Et puis pas n'importe quel petit sourire. Un qui dit tout. Tout ce que tu veux. Quand tu veux où tu veux quoi! Comme je suis timide je fais semblant de ne pas m'en être aperçu. Et crois pas que c'est facile d'avoir ces deux mirettes pointées dans le dos. Je fais tomber mon sucre par terre, au milieu de la sciure et pour lui faire voir que je suis un dur, que j'en ai vu d'autres, je le ramasse et le mets dans ma tasse. Elle a l'air d'apprécier. Je le lis dans son regard. Juste au moment où je la mate en me relevant.

Quelle nana! Putain qu'elle est belle! Un vieux coup de blues genre flots bleus ananas et samba me vrille la tronche.

C'est pas un gros cul comme moi qui te file le papier d'argent dans les mirettes. Si. Je nage dans le bonheur.

Ce bistrot c'est une chaumière au bord de la mer. Je suis le prince noir, l'aventurier célèbre, la beauté anonyme qui passait par là. Elle est éblouie. Oh la la!

A ce moment deux nonchalants viennent me briser le bonheur. Ils se dirigent vers elle. Ils la connaissent. Non. Ils se mettent au bar entre elle et moi. Je me penche un peu pour éviter leurs grosses tronches, pour faire voir à la reine de Saba que je suis toujours là. Douleur fulgurante. Je suis tout rouge, et le cœur qui fout le camp, la honte jusque dans les pompes.

C'est du contre-plaqué. Photo sur du contre-plaqué. Ma brune, mon amazone nonchalante, mon zizi bleu c'est une photo sur du contre-plaqué taillé mesure jusqu'à la taille derrière le comptoir du P.M.U.

Ma fille est retournée chez Mamie. Je suis seul dans la maison. Seul avec Coin-coin. J'ai donné les chiens. Polo clébard a un nouveau maître. Mon tableau s'effrite. Je bois et m'endors sur les banquettes des bars. La bouche ouverte. Je m'en fous. Je suis épave. Bois pourri. Je suis l'ombre d'une caverne. Comme un chien perdu. Le vent m'apporte de fausses odeurs. Je suis une larme, une mère éventrée, un père rouge-gorge.

Part 12

La pieuvre.

Je suis absent de ma vie. Je la regarde sans vraiment la toucher. Léger décalage. Derrière ou devant. Jamais dedans. Même effet que l'héroïne. Je suis resté cinq ans à l'héroïne. A me regarder mourir. Cinq ans à me faire des trous dans le bras. Cinq ans à voler des petites cuillères. A faire bouillir le cheval avec l'eau des chiottes. A me chercher les veines comme un singe. Cinq ans!

Terminée l'enfance! La shooteuse qui tombe dans la tinette. Les mains dedans pour la chercher. La porte qui s'ouvre. Un mec qui veut pisser. Moi à quatre pattes les mains pleines de merde! Tombé dans le coma deux fois.

La première fois ils m'ont jeté dans la cour de l'hôpital. Merci. Ils auraient pu se barrer et me laisser crever! Ça arrive! Pourtant c'étaient des pauvres carcasses mes potes de la défonce!

Peur des flics, peur du manque, peur de tout! Les filles faisaient un peu les putes pour le pognon. Il y en avait une qui m'aimait bien. C'est elle qui m'a balancé je crois. Pourtant elle m'aimait bien. C'est sûr. Le cheval et la baisouille c'est pas compatible. Alors on dormait dans les bras l'un de l'autre. Et puis on se shootait. Un jour j'ai été à la morgue voir mon pote Octavio. Octavio c'était un rital. Un jeune rital tendre et plein de charme. Il ne trouvait jamais le courage de faire quoi que ce soit. Je l'ai vu dans son cercueil avec une rose dans les mains. Pendant ce temps-là, juste à la porte, il y avait un employé de la morgue qui posait des vis au couvercle. Il attendait qu'on foute le camp pour fermer la boîte. Je l'aimais beaucoup Octavio. J'ai arrêté cette merde de came deux mois après. Je pense souvent à lui. Il était beau. On s'aimait.

J'ai rien pu faire. Je voulais arrêter. Pas lui. C'est tout. C'est fou ce que l'on a pu cavaler tous les deux! La veille de sa mort il m'avait cherché toute la journée. On s'est pas trouvés. Il a été se planquer dans les chiottes d'une boîte de nuit. Ils l'ont retrouvé quelques heures plus tard. C'était trop tard. Je ne me souviens plus qui m'a prévenu. J'ai oublié. Mais je sais que ça m'a fait drôlement chier de le voir dans sa boîte avec des coutures partout. Autopsie de merde!

J'ai même oublié comment ça a commencé cette histoire. Trop de chagrin peut-être un soir. Trop de blues.

Je me suis retrouvé dans une maison. Une belle maison. Chaude tranquille. Dans une chambre. Elle n'avait pas de fenêtre. C'était un œil-de-bœuf. Comme à la campagne. Il neigeait et ça faisait comme une carte postale. Sauf que la lune c'était peut-être un bec de gaz. Non un lampadaire avec la neige qui tombe de travers dans la lumière. J'aimais beaucoup le mec qui m'a fait mon premier shoot. Il y a des fois où je lui en ai voulu.

Je le connaissais depuis pas mal de temps. Il avait l'air aussi paumé que moi. On a parlé des filles cruelles toute la nuit côte à côte. En écoutant de la musique.

Le lendemain, j'ai acheté une seringue. Ça a duré cinq ans. Peut-être un peu moins. Aucune gloire.

La première année j'ai trouvé le moyen d'accrocher un de mes meilleurs amis. A la dérive lui aussi. Il a plongé. Plus lentement que moi. Mais il a plongé. Régis! Régis, j'ai fait de beaux voyages avec lui! L'Amérique, l'Angleterre! Régis j'ai vécu des trucs formidables avec lui! Presque toute ma vie d'avant mon premier amour. On connaissait tous les bars de la ville avant de connaître cette saloperie de merde.

Il a jamais voulu se faire les piqûres en intraveineuse. Sous-cutanée toujours. Comme si cette différence l'empêchait de sombrer. Totalement. C'est un des mecs les plus purs, les plus généreux de ma vie.

On était parti en Amérique par une compagnie islandaise. Par le Luxembourg. Escale en Islande. Oh! le voyage! Un vrai voyage. Je n'avais jamais bougé. Jamais vu un avion de près. Jamais monté dedans. On s'était fait le dernier shoot à Verdun. Le car de la compagnie avait crevé. Pendant qu'ils changeaient la roue nous on se shootait dans un bistrot. J'avais une valise en carton bouilli. C'était exactement comme ça que j'avais rêvé d'aller en Amérique. Comme un mec qui ne possède qu'une valise de carton bouilli. Régis connaissait déjà. Son fils et sa femme y vivaient. Il n'avait jamais réussi à l'oublier sa femme! Il trimbalait son blues. Il n'en parlait jamais. Nous avions dormi dans un hôtel de la rue Bonaparte. Notre meilleur ami, celui qui rêvait aussi de partir un jour, nous fit cadeau de deux oranges. Je ne me souviens plus s'il faisait le temps que l'on rêve pour un grand départ. Nous partions aux Amériques. Je ne laissais rien derrière moi. Si. Ma grand-mère.

Dans la chambre comme des jeunes mariées, c'est déjà l'Amérique. Mes veines sont pâteuses.

J'ai envie de me défoncer. Régis a froid aux pieds. Elle m'a bouffé la drogue. Au corps, dans le cœur. Je n'ai plus fait l'amour. Je n'ai plus ri. Mon talent a éclaté en miettes. Je n'ai plus écrit. J'étais seul dans les rues. Seul avec moi-même, un étranger. J'étais étranger à tout.

Michel mon vendeur, mon frère, mon assassin perdu. Il est mort depuis. Brûlé vif dans son fauteuil. Il s'est endormi, et la cigarette s'est coulée, reptile, le long de ses doigts et a embrasé silencieusement le paradis maudit de l'humain blessé à mort par sa vie. Michel avait eu une grande passion. J'en suis sûr aujourd'hui. Une grande passion de la musique.

Nous l'avons haï. Mais je l'aimais ce beau bassiste qui boitait. Aucun mystère ne fut plus clair. Cliquetant à travers la foule, écrasé et victorieux comme un zoom. Cette impression de force et de désespérance à la fois. C'était devenu un vrai dealer. Un vrai. Cruel et sensuel. Une belle ordure désespérée. Un bassiste élégant. Confidentiel. Tiens puisque j'écris ce soir, j'ai bien envie de te faire sortir du noir et du froid de ta nuit des temps. Pourquoi l'héro Michel? Pourquoi toi et l'héro. T'avais un joli son. Je le trouvais élégant. Juste. Infiniment humble. Mais joli bien rond. J'ai toujours pensé qu'avant l'héro t'étais comme ça. Élégant, discret, profond. Comme quand l'âme est troublée. C'est ta jambe, l'accident terrible avec Bobby Jaspard, un cuivre que t'aimais beaucoup, sur une route un matin comme des musiciens fous. T'avais un beau sourire. Même qu'il pouvait être tendre malgré ton marché ignoble. Ignoble t'entends Michel. Une vraie saloperie. Sans gonzesses. Sans soleil. Que des petits matins blêmes. Dégueulasse. Où t'as la chiasse et que tu chies dans ton froc. Je courais vers toi comme si t'étais le Christ. Tu l'étais c'est sûr. Mais putain ta croix était drôlement lourde pour un mino comme moi. Je peux te dire que même pour ma gonzesse parce qu'elle est partie ou pour qu'elle revienne, que même pour ma gonzesse j'irai plus chez toi. Tu vois ça prouve bien que j'y tiens. Et que même le chagrin pourrait plus me faire lâcher les dés. T'avais ta façon à toi d'y tenir à la vie. C'est ça qui m'attirait aussi! C'était ta façon d'y tenir! Discipline d'enfer! Jusqu'au jour où ça craque. Comme ce jour-là. Où t'as cramé. J'ai pas arrêté pour ça. C'était fini entre nous depuis longtemps. Mais puisque je suis revenu je peux te dire que j'ai vécu l'enfer. Avec l'oiseau sanguinolent, charognard, dieu de la haine accroché dans le dos et s'éclaboussant de ma cervelle. Avec des rires à faire frémir Satan. Le manque. Des heures dans des bistrots pourris. Des rades paranos où t'as peur de tout. Surtout que tu ne viennes pas. Et tu le savais. Beau rapport humain. Comme les crabes et les langoustes au fond de l'aquarium, place Pigalle dans le bistrot où je t'attendais. C'était un soir de Noël. Ils étaient tous ivres. Non un soir de nouvel an. Ils voulaient m'offrir à boire et j'essayais de me dégager de leurs bras. Pour que tu n'aies pas peur surtout de me voir entouré. De loin, ça pouvait avoir l'air d'une bagarre. Tu aurais disparu au milieu de la nuit. Je serais devenu fou. T'avais tellement mal à ta peau. Marchand de mort! De mort veule qui rampe, dévore et broie l'esprit. Finie l'Étoile polaire qui scintille au milieu du front. La grande Étoile polaire qui rassure les grands ours blancs perdus sur une banquise qui dérive loin de la galette chaude de l'Esquimau. J'ai vu mourir mes petits potes avec qui je riais jusqu'au fond des yeux. Mes petits potes charmants, je me souviens du temps bleu où je me noyais dans leurs yeux, où tout était rien. Était mensonge comme dans un songe.

Mais tu vois, Michel, le temps a passé sur la douleur. Rien ne reste ni l'amer ni l'aigreur.

Part 13

Régis c'est un grand mec blond. Belle gueule. Le genre qui plaît aux gonzesses mais qui n'en profite pas. A un moment il avait trouvé un job. Chercher du pétrole. Oui, mon pote était chercheur de pétrole. Tous les deux ou trois mois, il revenait en France dépenser son pognon. Avec moi. Une fois il était revenu et j'avais découvert l'héroïne. Voilà.

L'avion s'était posé à Reykjavik. Nous étions en Islande. J'ai pas vu grand-chose de l'Islande. La baraque en bois au bout de la piste. C'est tout. Et puis des jeunes pilotes américains. Rien d'humain. Genre robots avec des tuyaux partout. Des pilotes de Phantom. Base américaine quoi. A filer le frisson. Des mecs de mon âge avec rien dans les yeux. Chewing-gum et rangers posés sur le tabouret. Au bout de la piste des Phantom l'un à côté de l'autre avec la

cabine de pilotage tout au bout du nez. Les
ailes repliées sous le corps. La piste qui fout le
camp direct dans la mer. Même niveau. Des
avions. Comme des sous-marins. Le ciel d'Islande! Un bleu acier. Un bleu qui bouge pas.
Un bleu qui frémit pas. Comme s'il faisait beau
et que c'était normal. Et puis la couleur de la
mer. A avoir le frisson rien que de la regarder.
J'en menais pas large. Je ne frimais pas. Le
genre de nature à te dire de fermer ta gueule.
Qu'elle avait autre chose à foutre que de te
plaire. Avec Régis on a bu un thé au lait. On
était un peu caoutchouc. Pas vraiment mal. Un
peu caoutchouc. On est remontés dans l'avion.
Pendant des heures le soleil dans la gueule j'ai
découvert le Labrador. Rien. Pas une maison,
pas une fumée, pas un animal. Rien. Un désert
glacé. Régis était silencieux. Le trac. Le trac de
voir son gosse, sa femme. Il devait imaginer les
façons de cogner à la porte et de dire c'est moi.
Le trac de voir le nouveau mec. Celui qui
dormait maintenant avec elle. Je pensais déjà
aux cartes postales que j'allais envoyer à mes
amis. J'étais très fier de partir en Amérique.
C'était pas très réel, l'Amérique. Je regardais le
soleil à travers le hublot en pensant que j'allais
découvrir l'endroit où il tombait chaque soir
dans un trou. Ça puait des pieds. J'ai été me
branler dans les chiottes. On aurait dit une
arche de Noé cet avion. Un vrai sac à désespoir.

Tous les passagers, les hommes comme les femmes semblaient épuisés. Comme des animaux. Tassés les uns contre les autres. Avec des vieilles barbes sales. Les hôtesses qui plissaient un peu le nez. Des gueules usées de vieux dromadaires, des juifs qui marmottaient quelques prières. Des Slaves qui buvaient de la bière. Et puis l'avion secoué par la tempête qui faisait des bonds dans tous les sens. J'avais tellement peur que je suis retourné aux chiottes me branler. J'étais pas le seul. J'en suis sûr.

On s'est posé en plusieurs fois, un coup sur la roue gauche un coup sur la roue droite. Ça faisait comme un cri à chaque fois.

Nuit noire. Vieux zinc pourri. Déglingué. J'étais en Amérique. Airport Kennedy.

On a pris un taxi à plusieurs. Je me souviens pas très bien du pont de Brooklyn cette nuit-là. Mais je sais que l'hôtel que Régis connaissait était comme dans les vieux films américains.

Évidemment pour les mecs qui vont à New York en six heures c'est pas le même truc. Moi j'avais mis trois jours.

Part 14

Jésus Rock.

New York. Toute blanche la ville. Un mètre
de neige. Des nègres avec des pompes violettes
en costards d'été. Les avenues comme des
couloirs. Les bagnoles de flics au ralenti. On a
posé les valises à l'hôtel. J'ai ouvert la fenêtre.
J'ai regardé dehors. Enfin je voyais New
York.

On a marché sur la 59ᵉ Rue. J'ai acheté un
Zippo. Un vrai Zippo. Mon Amérique à moi. Ce
briquet. Une bande de pillards de désespérés,
les yeux affamés par la couleur de l'or et du
vert des champs et des jeux violents. Nous
sommes pauvres. Pendant des semaines pas
une gonzesse! Pour un Européen c'est dur! Ou
pour un nègre! Mais l'Américain blanc, le
normal, ça n'avait pas l'air de le mettre mal.
Tu vois le genre disjoncté qu'on peut avoir
quand ça fait trop longtemps qu'on n'a pas

touché une femme. Une espèce de mutilation quoi! Il faisait froid. J'avais mis le pull-over vert que ma grand-mère quelque part dans le Val-d'Oise en France m'avait tricoté. Le trésor de l'immigrant quoi! L'armure porteuse d'espoir. Le pull-over, col roulé vert que m'avait tricoté ma grand-mère, m'empêchait d'être un homme. J'en étais sûr! Ce pull-over m'empêchait d'avoir l'air d'être un grand voyageur détaché de tout. J'en avais parlé toute une nuit à Régis qui s'était endormi pendant la première moitié de mon admirable thèse sur comment - il - faut - se - débarrasser - des - pull - overs - verts - tricotés - par - les - mamies. En même temps j'en avais les larmes aux yeux. Elle était tellement loin. Tellement seule. A penser à moi. Là-bas. Mamie. Vite un coup de blues. Parce que New York c'est grand. C'est grand pour un petit gars qui vient de si loin. Sans dents, avec l'immense espérance du vent.

En face de nous deux négresses. Il y en a une qui porte un chapeau comme les gonzesses à Longchamp au printemps. On se regarde. Elle me sourit. Et puis on se parle. Enfin, je comprends que c'est une pute et qu'elle veut bien dormir avec moi. Pardi! Mais moi je me décide à le faire dans le côté romantique. Un petit Blanc rêveur dans les bras d'une pute avec un chapeau comme les gonzesses à Longchamp.

Je trouve ça follement poétique. Je trouve ça chromo! Le voyage ça me délate. Ça me crame le corps. J'ai l'impression d'avoir un ventilo dans la tête. J'ai les mains qui tremblent dès que je découvre une terre étrangère. Les filles à boire, les filles à manger, les filles à payer! Tais-toi vilain lapin!

On se retrouve sur le trottoir avec les deux négresses. Lumières suspendues là-haut au milieu des étages de verre. Putain ce que j'étais loin. New York! New York! Régis au bord du trottoir, les pieds dans la neige. La belle vie! Quel frangin d'amour! Je suis un enfant de Jimmy Hendrix. Un peu ivre dans cette avenue tu peux comprendre pourquoi ce mec nous a fait planer. Ça swingue, ça bouge, ça ondoie, cette putain de Babylone. Le mélange de l'air avec les regards chargés de hasard, le noir qui devient une couleur, le noir qui devient vert et qui danse comme une gazelle, le noir qui devient rouge comme la sirène des pompiers qui volent, au coin, avec leurs casques qui leur font comme une crinière d'argent. Et puis la musique qui s'échappe. J'étais là où était née la musique que j'aimais. Régis s'est barré.

Moi je reste avec mon élégante. Elle a des gants. Je me souvenais qu'elle les portait en buvant son café. J'ai le clignotant qui s'allume. Dashiell Hammett entre en jeu. Tout ça au coin de la 59ᵉ Avenue. Elle cache les marques!

Junkie, sûr! Je m'en fous! Je suis saoul et je continue à faire chromo dans le métro. On change, on marche, comme si elle voulait brouiller sa piste. Je lui dis que je sais ce qu'elle cache sous ses gants. Je lui dis que moi aussi je me shoote. Elle me regarde. Petit Blanc, je lis dans ses yeux, petit Blanc comment tu peux savoir ce que c'est qu'un négro qui se shoote? Comment tu peux savoir? Il y a du mépris mais je fais semblant de comprendre.

Je suis dans Harlem aux aguets. J'essaye de tout prendre à la fois. Tous les bruits de la nuit, toutes les ombres, les perrons qui croulent, identiques comme des fleurs de pierre vers le marchepied d'un taxi jaune éteint perdu dans l'ombre. Froid terrible dans l'escalier. A chaque étage une poubelle je regarde le couvercle en gros plan, comme si un nègre terrible allait en jaillir. Elle respirait ces poubelles. J'en suis sûr. Sur un des paliers elle a appelé Jo. Une vieille voix de menteur bleu a dû lui dire que c'était okay. Qu'elle amène le pognon quand le pigeon aurait fait rou-rou. Je parlais pas anglais mais j'avais compris. L'instinct de survie. La parano transformée en art. Dashiell Hammett revenait au grand trot. J'étais qu'un petit gars de la banlieue parisienne. Cet état ne prépare pas forcément à celui-là. Perdu en plein Harlem avec une pute percée de partout et Jo qui faisait même pas semblant de dormir.

Qui surveillait le petit Blanc. Beaucoup pour moi. Mais il est trop tard. Je la suis et je la regarde pisser dans son évier, accroupie avec son beau chapeau qui lui faisait comme un bec noir maintenant. Fallait rester cool avec ces murs qui palpitaient. Elle m'a pris le pognon, elle a même tout pris. J'ai rien dit. J'étais dans la merde. J'avais plus un rond. J'avais plus envie de baiser. D'ailleurs je crois bien que j'avais pas vraiment eu envie de baiser. Elle se shoote devant moi. J'avais jamais vu une femme se shooter. Il y a mieux pour te faire croire aux fées.

Négresse, j'étais ton frère ce jour-là. Malgré ton indifférence glacée. Fini le rire! On tapait dans le dur!

Au diable le cœur. T'avais jamais connu l'espérance! C'est sûr! Je me sentais égorgé. La belle Amérique pissait dans l'évier. Le beau pays bleu dégoulinait sur les assiettes empilées. J'étais crucifié. Et je t'aimais. Je cherchais quelque chose à dire, à faire pour te prouver cet amour. Cet amour incroyable d'un petit Blanc pour une négresse chevauchant les ténèbres du plus grand pays du monde.

Tu m'as poussé vers la porte, j'ai retiré le pull-over vert tricoté par Mamie. Je te l'ai tendu comme une offrande, pour que tu ne m'oublies pas. Comme pour sceller un pacte.

Tu m'as regardé. T'as peut-être cru que c'était une ruse. Je crois que t'as pigé mais que tu n'y as pas cru. Je m'en foutais. Un instant, tout petit instant je suis devenu grand. Mon geste était sans retour. Comme si nous nous étions aimés follement. Négresse, de temps en temps je te vois. Dans le noir. Avec tes grandes dents d'humain affamé.

Je me suis retrouvé sur le bord de Harlem. Il paraît qu'il fallait pas y être. J'y étais. Libre. En tee-shirt dans la neige. Il faisait moins vingt. Le ciel était bleu glacé comme les premiers matins. Central Park étouffait sous la neige. J'étais beau j'en suis sûr comme Marlon Brando et James Dean. J'étais sexy, les bras nus avec mon pantalon qui flottait dans la gadoue.

J'ai commencé à écrire à New York. Une pièce de théâtre où il était question de pureté. Plus les jours passaient. Plus j'aimais cette ville. Il y avait Bill et puis Carole. Comme dans un film de Cassavetes ou de Paul Masurski. J'habitais chez eux. Régis était reparti dans le désert. De l'autre côté de la mer. Je vivais mille vies. Mille vies plus belles, mille vies plus sourdes. Comme si j'avais une nichée de moineaux au creux de la poitrine. Je palpitais à l'infini. J'ai écrit chaque jour. Chaque nuit. Avec acharnement. Avec trois ou quatre *c* au mot locomotive comme si j'avais voulu dans le même mot rajouter les wagons.

Je marchais dans l'hiver new-yorkais. J'étais un vrai écrivain. Je faisais des petits travaux d'écriture chez un vieux. Il avait le fond du pantalon lustré. A force de regarder la rue derrière son rideau, assis dans un fauteuil tournant en se curant les dents. Bill montait des films en super-huit. Carole faisait le café et lisait. La nuit passait. Et le clavier ronronnait. D'un doigt je traçais ma quête, ne revenant jamais sur un mot.

Un jour j'ai essayé de faire l'amour. Impossible. Elle avait des boulons partout. Des boulons aux chevilles, des boulons aux cuisses, aux lèvres, au sexe. L'Amérique et les gonzesses c'était pas le pot! Dans les chiottes un psychiatre a voulu me branler. C'est pas mon truc, Paulo! On est restés bons amis! Il me filait des trucs qui faisaient planer. J'avais les buildings qui m'arrachaient la tête!

Je vivais tout. J'avalais tout. Je mettais de côté pour plus tard. Les académies de billard, les clochards éventrés, les putes bariolées, les flics lents comme au ralenti. Je ne venais pas pour conquérir. Je venais pour voir. Et emmener ma brassée d'odeurs au pied de mon clavier. J'avais appris à aimer l'écriture. C'était le cadeau de New York au petit banlieusard.

101

Tous ces mecs qui venaient de nulle part. On se parlait pas beaucoup mais on était frères. D'espérance. D'une espérance désespérée. Aujourd'hui. Finie l'espérance. Adieu New York. Adieu les sirènes d'urgence. Je suis plat comme une limande.

Part 15

Les pots de confitures font des yeux glauques
aux poubelles.

Je cours vers toi ma fille. Tu dors dans mon lit. Dans mon grand lit bien bordé. Je cours vers toi. Pardonne-moi de t'avoir oubliée. Je cours vers toi ma vie.

J'ouvre la porte sans faire de bruit et je te réveille. Comme un con. Alors que tu faisais si bien dodo. J'ai vu maman. Elle va très bien. Elle t'embrasse très fort. Et toi tu souris et tes yeux clignotent courageusement pour résister au sommeil.

Alors ma fille s'éveille et leur dit. C'est mon frère de vie, mon douloureux ami. Vous n'avez rien compris. Je l'aime ce père à la gueule de chien.

Il est de la tribu des balafrés. Et vous l'avez laissé. Il est de la tribu des affamés. Tyran de tendresse, déambulant d'un amour refusé.

Ma fille fais dodo dans mes bras, ta main chaude sur ma joue pas rasée.

Dans mes bras se rendort l'enfant. Je regarde ses cils, une mèche mouillée par la sueur qui vient faire une vague sur son grand front, une petite veine bleue s'installe sur sa tête et bat, paisible.

Elle dort.

Voyageur immobile je m'installe pour la nuit. Tout m'assaille. L'enfance au bout du champ immense. Maman si douce là-bas. Et puis papa photographe. Inoubliable silhouette d'un corps heureux, sous un pan éblouissant de soleil d'été. Un verre embué de rosée sur un drap blanc. Et ses reins ronds qui tendaient la voile! Les femmes voluptueuses emplissent mon lit et laissent traîner à petits souffles, après, une jambe ouverte et tendre, juste là, où le drap se plisse et glisse dans leur chaleur. Par la fenêtre entrouverte, viennent les bruits d'une ville lointaine et de ses fêtes nouvelles.

Je me relève. Je ne peux plus rester couché. Je me fais du potage Royco aux vermicelles. Je fais tomber la casserole. Je suis assis sur le tabouret face au mur. Mon gros cul déborde de chaque côté. Mon gros ventre me cache ma bite et mes couilles flétries écrasées par le bord de la matière plastique. Je suis tout nu dans la cuisine glacée.

Je mange avec des grands bruits. Je suis

comme un vieillard avec des gestes d'enfant débile. Je t'aimais la vie. J'y croyais.

Elle danse quelque part dans Paris. Elle trouvait que je dansais bien. Il y a longtemps. J'ai pas assez dansé avec elle. Je sais. Je vais me recoucher. Dans le couloir, je regarde des affiches. Des affiches où il est question de moi. Des affiches de films, de pièces de théâtre. Des traces. Des traces d'un espoir. Mon amour, la vie s'éclairait encore par instants en larges vols lents. Je créais à cette époque. Je créais et je voulais croire qu'il n'y avait que cela qui compterait. Je ne suis que le rouge ou le noir d'une fleur qui coule et échappe au regard. Un chat gris rôde peut-être. Son regard immobile se pose sur moi. Au fond du jardin sombre dort une fleur. Allez vieux con! T'as jamais été une fleur! Va te coucher! Tu vas tomber dans le couloir et tu vas faire peur à ta fille!

Le jour où ma fille est née j'ai été prier dans les champs. J'ai mangé de la terre. C'était en plein mois d'août. La belle saison immobile où je souffre chaque année de je ne sais quoi. Le mois d'août, c'est comme la nuit qui vient. Je suis tranquille jusqu'en juillet.

Ça vient de la pluie. De la pluie qui me manque.

Août immobile, je suis abandonné à la terrasse éclatante, comme un phoque ruisselant.

Au fond du bar, le comptoir dans l'ombre. Je suis taureau agonisant.

Je suis des milliers de taureaux hagards devant leur dernier après-midi.

Rideau sur l'enfance. Elle s'enfonce dans l'eau.

Part 16

La bière coule en moi. A grande gorgée. Je fonce tête baissée dans la lumière des néons. Je ne sais plus s'il fait jour ou nuit. Quelle heure est-il?

Où est-elle? Elle rit. J'aurais jamais dû pleurer devant elle. J'aurais jamais dû la faire chier avec mon amour. J'aurais dû faire tinter les blocs de glace dans mon verre en lui disant :

« Tu veux te casser? Casse-toi. T'as raison. Profite de tes instants. Je t'attends. »

Elle aurait pris une douche pour sentir bon.

Elle serait revenue de temps en temps. Quelques jours. Et puis repartie vers d'autres jeunes gens souriants. J'ai un pote qui a réussi à tenir comme ça. Il n'y avait que sa femme qui comptait pour lui. C'était sa vie. Son destin. Un jour elle partait. Un jour elle revenait. Lui, il restait immobile sur sa chaise. Et son temps s'écoulait ponctué par les canettes de bière qui faisaient des gros tas tout autour de lui. Elle est revenue définitivement. Elle lui a fait un enfant.

A boire. Les filles sont belles. Je tombe par terre. Je reste au milieu des jambes, des mégots, des crottes de nez, de la merde des chiens. Je dis au mec qui veut me relever que je suis très bien comme ça. Je suis très bien là, par terre. Vous pouvez pas comprendre! Je suis très bien au milieu des crottes de nez! Je fous le camp! Vous comprenez je fous le camp! Mon esprit s'éloigne!

Je suis un chieur en rond. Un emmerdeur qui cache sa crotte. Comme s'il était le seul à chier. Quand j'étais petit je pensais qu'on arrêtait de chier quand on devenait beau. Je croyais qu'on ne chiait que lorsqu'on était vilain. Ah! si je ne chiais pas, c'est sûr je serais le meilleur des hommes. Mais cette putain de merde au cul! Je finirai par un coup de fusil, comme ça, sans prévenir, au fond des bois.

Ce matin-là, nous avons pris un grand bateau
[gris
plein de nègres ruisselants,
de dames en mousseline blanche,
traversé l'Atlantique
avec mamie et tous ses cheveux blancs

Là-haut, sur la dunette,
le capitaine nous regarde
à moitié marin sirène,
il envoie des baisers au loin

Qu'elle est belle la gonzesse qui déambule de
l'autre côté du pont
qu'elle est belle,
je suis sûr qu'elle a du pognon.
C'est mamie qui me dit
touche pas,
sans ça, tu vas aller au ballon
et le ballon dans l'eau,
ça va te faire prendre froid.

Ma mamie, c'est une dure
on se barre avec les économies de son patron
elle a dit
c'est pas normal que tu fasses ta vie dans ce
pays si petit.

Ma mamie, c'est une dure
elle a un pétard dans son cabas
elle dit comme ça
c'est si jamais on nous empêchait d'aller là-
                                                    [bas
elle dit comme ça
que Raoul était jamais arrivé à Rio Janeiro,
ils l'avaient flingué sur le quai,
y a vingt ans déjà

Raoul
c'était mon grand-père
il m'emmenait au bord de la mer
il regardait l'horizon
il me disait : un jour on va se casser
tu feras du cheval tout nu
t'auras des copains indiens
je te regarderai de mon rocking-chair
tu verras ma gueule
ça sera la belle vie
mais il faut du pognon
pour vivre sans pognon
ah çà, grand-père,
il avait les pieds sur terre.

Les Italo-portugais
tapent dans leurs mains
il y a leurs yeux
qui font des étoiles
sur les reins de la fille
que je trouvais bien belle

Il y a des Russes, des Polonais
qui crient fort
qui font des flaques dans l'eau

Il y a le capitaine
qui s'essuie la bouche
qui cache sa bouteille
je danse le tango
avec une gonzesse qui a les yeux violets

Nous n'avons jamais vu New York
Ni cette damnée femelle qui tend le poing.
Le bateau a coulé
mamie a basculé dans l'éternité
je suis le seul survivant
il fait beau pourtant
c'est tellement grand
que j'ai pas le temps
d'avoir du chagrin, ni de pleurer
avec tous ces requins
qui veulent savoir comment je m'appelle
d'où je viens
je leur dis

mais je veux pas qu'ils touchent mamie
c'est d'accord me dit le gros gris
on touche pas à la vieille dame aux cheveux
d'argent
elle peut dormir peinard
on bouffera des calamars

Ils se barrent.
Tout à coup j'entends crier un drôle d'oiseau
qui vient vers moi en pagayant avec ses ailes
multicolores
un drôle d'oiseau
je m'appelle bococo dit-il tout essoufflé
je suis le plus beau des cocos
j'ai un moral d'acier
je vis et je dors avec un homme qui boit, qui
                              [boite
un homme paisible qui vivait au bord de
                              [l'eau
je sais où le retrouver
il me montre l'horizon
il tourne autour de moi
me pique le biceps avec son bec
t'es costaud mon garçon
si tu veux je t'emmène là-bas
mais je peux plus ramer
prends ce bout de bois
rame tout droit.

Part 17

Envie de revoir les vieux amis. Voir les yeux
et l'amour. Laisser la nuit se passer autour de
la table chaude, avec la lumière, faire la couleur du plus tendre des miels. Rire à notre
passé avec quelques immobilités, pénétrer la
pupille de l'ami, et puis revenir de l'autre côté.
Instants légers où les hommes se palpitent
entièrement comme s'ils n'étaient que papilles
gourmandes, affamés. Ivresse du son de la
voix. Vaincre l'anonymat. Être sûr de rester à
jamais dans le cœur de l'autre. Savoir enfin,
qu'on ne l'a jamais quitté. Reprendre simplement les choses où on les avait laissées. Quel
pied! Quel tendre panard!

Voilà Paulo comment je suis revenu à la vie.
Ne pas couler! Une pieuvre imbécile te prend
la tête. Une menteuse qui te dit la vérité. T'as
beau te dire qu'il ne faut pas l'écouter, elle est

113

diablement intelligente, atrocement profonde. C'est les grands fonds. Avec d'énormes poissons roses et ronds, mous et fous. Les yeux surtout. Qui te suivent où que tu sois, surtout au fond des draps. Temps terrible où les milliers d'années-lumière ne servent plus rien. Où l'on se contemple, impassible et froid avec quelques hoquets de haine. Comme une bite molle! Finies les jeunes femmes! Va te cacher vilain coucou! A plus le droit à rien! Sauf une infinie nostalgie. Une sale nostalgie qui te ramène au pays des fêtes aux lendemains flamboyants. Où ta jeunesse te rendait centaure mutant indestructible! Ça valait le coup! Et puis le docteur a dit qu'il fallait que j'arrête mes conneries.

J'en veux pour longtemps de la vie. J'ai signé pour la vie. La vie longue. La vie toujours qui rime avec amour. Bien sûr avec une certaine gravité. Ça serait trop facile. N'est-ce pas nez de bœuf! Dans le genre mammifère, qui mâche en regardant la montagne. La fête c'est peut-être autre chose maintenant. De plus secret. Peut-être un étrange silence ou bien des rondes blanches de jeunes filles bourdonnantes. Non, c'est l'animal. L'animal qui se calme. Il cherche un deuxième souffle. Avancer en âge et avoir toujours le cœur comme une étoile filante. Comme celle qui fait rêver les petits enfants. Une qui fait rire. Pas fastoche! Je crois qu'on peut commencer sa vie en mentant, mais la finir sans mentir. Si possible. Il y a un temps pour tout. Vaut mieux dire qu'on est orphelin plutôt que d'avoir des parents qu'on ne connaît pas. C'est peut-être pas des trucs qu'on apprend à l'école. Mais c'est des trucs qui servent! Attention à la langue, vilain pou! « C'est peut-être pas des trucs... mais c'est des trucs... » Attention ça va être le carton rouge! On explique au lecteur « Truc », on lui trouve le fond et on s'arrange pour faire dans la forme. Je crois que maintenant j'ai trouvé ce qui m'amuse le plus, c'est ce truc. L'écriture.

Et puis il y a la blonde. Avec la blonde la vie c'est comme un roman.

Chaque instant est irraisonnable et, comme elle est bonne, l'esprit peut chavirer sans arriè-re-pensée.

Avec la blonde je peux être moi. Elle sait de moi ce que les femmes savent des hommes.

C'est-à-dire le secret. Le secret entre le mâle et la femelle. Alors je la réinvente, chaque jour, elle et l'histoire afin de ne pas laisser échapper l'amour.

Le nourrir, le chérir comme ma vie. Ébloui je le suis. D'elle et de son esprit qui vogue au milieu des myrtilles et des framboises sauva-ges. De son respect de la vie, ébloui qu'il ait rejailli sur moi.

Elle porte aux coins des yeux le gai du triste,

comme étonnée que les oiseaux s'envolent. Certains jours, les chercheurs d'or s'y saoulent. Après l'amour, l'automne. Vol lent. Tourbillonne tremblotant.

Elle s'endort fermant le port. Comme le matin je dors bien ou fais semblant. Dans mes draps blancs à travers mes cils ses yeux clos. Et mon cœur bat dans l'obscurité des draps que je soulève. Pour voir ton cul endormi.

C'est poétique et on baise quand même. C'est la blonde qui m'a fait comprendre qu'on pouvait faire les deux! Quand je l'aime j'ai des patins aux pieds, genre acrobate du parquet ciré. J'en veux bien pour une autre vie. Avant elle j'avais appris à aimer les femmes. Elle, ça m'avait fait l'impression d'une porte vitrée en pleine gueule. Une espèce de claque divine. C'est le kif bleu! Cette gonzesse c'est une petite sœur.

Elle est divinement simple. Juste un peu sophistiquée. Naturellement. Sans le travailler.

On a voyagé avant de vivre ensemble. J'avais jamais voyagé avec une gonzesse. J'étais tombé sur le gros lot. Une vraie rêverie. Une nonchalante qui aime se perdre dans les villes. Chaque instant elle me crucifiait avec le bleu faïence de ses yeux. La féminité, c'est ce qui rend les jolies femmes intelligentes et les moins belles attirantes. La grâce quoi! pomme à l'eau! Elles palpitent comme des coursives de bateau. Dès que je parle de cette nana j'ai des lampions dans la tête. Il y a des fois ça pète. Ça pète fort même! Sauf en voyage. Là on trouverait cela indécent. A Rome elle a fait semblant d'être attirée par les jeunes gens en Vespa. Tu vois ça d'ici. Une Vespa qui disparaît dans les embouteillages, avec les chromes qui pètent sous le soleil romain. Un vrai film d'amour. Sauf que j'étais pas sur la Vespa. J'ai eu très peur. Mais le soir elle est revenue. Je déconne pas. Rome lui va. Elle va dans Rome. Légère, amoureuse de la ville. Je la regardais et je me disais que j'avais trouvé la plus poétique des nanas. Et puis les Italiens ça leur fait sauter les boulons, une femme qui les regarde dans les yeux. J'aime bien les Italiens. Ils sont fous. Fous de vie. Les Romains, ils ont toujours l'air d'être des rupins. A Rome suspendue. Les vieilles pierres c'est pas mon truc ou alors vite. Elle s'attarde elle. On s'attend un peu plus loin. Devant le marchand de glaces. Ses yeux qui brillent avec la vanille ou bien le chocolat. Je la regarde. Et je réalise, je sculpte le plus beau des films romantiques. Un portrait de femme jamais achevé. La mettre en situation et regarder. C'est tout. Moteur dans le cœur. En plus je sais où couper la scène. C'est ça mon bonheur. Les petits instants juste avant qu'il faille couper.

Faut bien que je te dise comment j'ai rencontré la blonde. J'avais laissé ma fille, comme un légume, gros con, à la montagne. J'étais séparé depuis un mois! Une fille formidable. Elle m'avait aidé à oublier. A oublier la fille d'Asie et de Lozère.

J'avais vécu presque cinq ans avec elle. Je me suis barré. Je me souviens comme sa bouche avait tremblé. J'étais pas fier. Mais il fallait que je me retrouve. J'avais besoin de mon état solitaire. Elle était belle et fragile aussi. Tant pis. Fallait que je me barre. Comme un lapin. Un vieux vent tournait dans ma tête depuis trop longtemps, un vieux vent qui disait le bonheur de vivre, la douleur d'écrire et son parfum serein quand la phrase s'invente et coule miraculeuse comme tu la veux. J'ai senti que je disais adieu à ma vie passée. Les lacs m'ont toujours inspiré de sourdes décisions. Les lacs avec la montagne derrière. La montagne grande qui ne peut se tromper.

J'étais comme ça au bord du lac Léman. Avec de vagues souvenirs de phrases de poète aimé. Et puis de vagues relents d'un certain talent. Les poètes aimés me le susurraient avec amitié. La lumière changeait, la nuit venait et j'étais toujours loin derrière en enfance. Je n'en revenais pas d'être là. D'avoir déjà fait tout ce voyage.

Part 18

Là-bas.

Tous les soirs je chantais dans une boîte. Avec le groupe. Ça se passait bien. J'étais dans une période sans alcool. Certains soirs je croyais chanter à New York. Cette putain de volonté d'être dépaysé! Je suis fort pour ça! Je ne prends que le point de départ. Aussi loin que remonte ma mémoire. Et j'arrive direct à Lausanne. Genre oiseaux d'argent, comme les éclairs. Je reste un moment assommé et puis je me mets au boulot. J'attaque le chromo. Je dépayse! Je regarde les grands bateaux blancs qui traversent l'hiver et puis les mouettes comme à la mer. Tous les soirs avant d'aller chanter j'étais là, à la même place et j'attendais la nuit. Je me ramassais, je m'équarrissais, plus rien ne passait, sauf peut-être le nez pour chercher l'odeur qui allait avec le chromo. Je pensais à elle, cette femme sœur, que j'étais sûr de quitter, avec infiniment de douleur. J'étais enfin chez moi. Ailleurs.

J'ai eu envie d'aller chercher ma fille. De tenir sa petite main. De la voir sourire en me voyant. D'être tous les deux. Sur la route je regardais le paysage jusqu'au fond du cadre et je me disais que tout cela était à moi. Et que je voulais le partager avec elle. Paulo quand je l'ai vu ça m'a foutu les larmes aux yeux. Elle était tellement contente que je sois là. Mon petit bout! ma douceur, mon étonnement.

Je devais dormir à l'hôtel. J'ai pas dormi à l'hôtel. J'ai dormi chez la blonde. Elle a ouvert la porte. Sa sœur a dit : « Je t'amène mon pote. Il sera mieux en famille, non? » J'ai pris ses mirettes dans la tête. J'ai prié vite. J'ai supplié Dieu qu'elle m'aime. Je la voulais. Elle était en pyjama blanc, pieds nus. Ah! ses pieds. Nom de Dieu ce qu'ils étaient beaux. Et puis la pointe de ses petits seins. La fille de mes rêves. J'ai mis la gomme. J'ai attaqué de plein fouet. Béton! Elle me souriait. Mi-malice mi-gravement. Finis les fantômes. Elle était mon avenir. On a dormi ensemble. Il y avait la neige qui tombait derrière la fenêtre, avec le ciel bleu nuit d'hiver. J. J. Cale chantait. J'étais fou d'amour. Brisé déjà par le combat mais habité d'une folle certitude. Je n'en aimerai plus aucune autre.

J'ai minci. Mes joues se sont creusées. Je faisais la route dans tous les sens pour la retrouver. On s'est fait un peu de mal. Normal. Va savoir. Je l'adore. Je peux la foutre dans n'importe quel cadre. Elle me fait planer. Un jour j'ai dit à Eddie toi t'es mon frère. Je voudrais inventer un blues blanc. Je voudrais chanter un blues blanc. Comme ça pour sourire, pour la blonde. Aide-moi. Prends ton clavier et porte-moi. Je veux faire un truc simple. Qui raconterait un bout de vie. Je voudrais dire à ma blonde que même quand je suis pas là, quand je suis de l'autre côté de la ville à me battre avec mes diables je pense à elle, comme une flamme au bout de la nuit. Et que les enfants je les emmènerai remonter le Mississippi. Je suis revenu lessivé, désespéré, cassé de bien des nuits, et jamais elle a pensé à autre chose qu'à ma santé. Comme ça. Sans forcer. Eddie je voudrais lui chanter le blues du petit Blanc.

Moi je rentre le soir à la maison
c'est ma femme qui me dit :
dis donc, dis donc
pourquoi tu crois que je fais de la soupe
qui reste sur le gaz toute la nuit
est-ce que tu crois
que c'est pour un poivrot comme toi
qui rentre jamais quand il dit

ô ma belle gueule ma belle gonzesse
j'ai parlé à mes copains de toi
ils te trouvent terrible et moi aussi
je le ferai plus jamais
je casserai plus la voiture
je dépenserai plus l'argent
des allocations familiales
je te le jure
jouerai plus
jouerai plus aux dés
je boirai plus des coups dans les bars
menteur menteur menteur...

Y a plein de gonzesses
Y a plein de gonzesses
viens donc dormir dans mon lit
au lieu de rester toute la nuit
viens donc dormir dans mon lit
au lieu de rester toute la nuit dans ce bar
dans ce bar où y a que des lascars
qui appellent maman dans le noir
ma belle
je t'aime je t'aime
je t'aime tant
tiens je vais même te dire la vérité
c'est parce que je suis bourré
j'aime beaucoup
j'aime beaucoup tes yeux
ma belle belle gonzesse
viens viens on va boire des coups
après on ira à l'hôtel
l'hôtel tu sais
où y a du néon
du néon comme à Mexico

ma belle gonzesse viens
viens dans mes bras

fais-moi des enfants
plein d'enfants
qu'y'en ait partout dans la maison
qu'y'en ait partout dans la maison
ma belle gonzesse

viens dans ma maison
déshabille-toi le poivrot
couché
blue-jean, bottes,
au bord du lit le cendrier
avec la cigarette
ma belle gonzesse
fais-moi
fais-moi des petits
des petits, des petits... enfants...
fais-moi toujours toutes les nuits
toutes les nuits, tous les matins
des petits enfants
ma belle gonzesse regarde ma main
qui descend sur ton ventre si blanc
tiens ma belle gonzesse
regarde ma main
qui descend sur ton petit ventre tout blanc

ma belle fais-moi des petits
fais-moi des petits
des petits enfants tous les matins
ma belle gonzesse qui flotte dans l'air
ma belle gonzesse qui me met les pieds sur
                                    [terre
et donne des ailes à mes mains
fais-moi toute la vie, la vie,
fais-moi des petits
des petits
après on boira un café

et puis on regardera par la fenêtre, on regardera
le train passer
j'aurai un T-shirt déchiré
t'as vu Paulo, il est parti hier soir
ouais je l'ai vu, ouais
t'as vu Paulo, il est parti hier soir
je l'ai vu
a pris la route, la voiture de son père
pour s'en aller là-bas dans le noir
si ma femme pardonne
je travaillerai dans le jardin
mais fais des petits
qui ressemblent à des étoiles
qui ressemblent à la vie
à ton vieux mari
je te jure bien
je te jure bien que t'es belle
dans la salle de bains
tiens même des fois
quand je crois que tu vois rien
je me relève pour voir comment t'es
quand tu te laves les seins
ô ma belle
ô ma belle
fais-moi
des petits,
des petits,
des petits...

Part 19

Vie je veux plonger encore en toi. Je veux m'embraser d'innocence et de matin qui divague. Vie je veux plonger encore en toi avec ma femme. Et puis mes enfants et puis tous ceux qui voudront m'aimer, que j'aime déjà. Vie je te veux. Je t'ai toujours voulue. J'avais pas le mode d'emploi. C'est pour ça que j'ai tant attendu. Pour te dire combien je t'aime. Comme si t'avais toujours eu ta place dans mon horizon. Mais comment faire pour t'aimer? Vraiment t'aimer. Avec les temps et les instants où plus rien ne compte sinon le rire des enfants et le regard si clair de ma blonde. C'est un miracle de chaque jour comme des étés. La blonde je l'ai rencontrée tard, un peu plus qu'au quart quoi! C'est la même fille que je voulais pour quand je serais grand. Ses yeux j'en ai rêvé dans le regard des autres. Son regard j'en ai rêvé dans les yeux des autres. Et le corps comme un sarment qui s'est arrondi doucement. Ses mains que je trouve bien belles. Tu vois comme les mains qui lavent le linge qui font des bons gâteaux pour les petits. C'est ma sœur. Je la connais depuis toujours. Et quelques zones d'ombre ne gâchent rien à l'affaire comme on dit. Chacun ses petits secrets on se les dit au hasard du temps. La blonde elle n'a pas que les yeux.

Vie laisse-moi plein de temps.

Je te promets, je n'oublierai jamais mes frères et mes sœurs d'avant. Avec qui j'ai rêvé aussi. Mes si tendres compagnes passées, mes bons compagnons d'un même blues partagé. Je croyais que j'étais désespéré. Maintenant que j'ai un peu grandi je sais que ce n'était que de la désespérance. Et la désespérance ça peut se vivre en bleu.

Rien à faire. Je veux pas crever. Je me dis en regardant ma bière. Tout foutre en l'air c'est du passé. Même avant, ça me faisait chier cette espèce de plaisir à ne rien faire. C'est vrai que je cours toujours. Tout le jour et même la nuit. Avant c'était plutôt la nuit. Maintenant il faut que je voie le jour. Debout surtout.

Faut bien alcool / Faut bien que je te quitte /
Je suis trop vieux pour tes jeux /
Qu'est-ce que tu veux / On s'est trop aimé /
Trop haï /
Ce que tu m'as donné / Tu ne me l'avais que
prêté /
J'ai été invincible / Tonitruant /
Défenseur de la pureté des dames /
Tu me diras / Ça t'arrangeait bien / Tu
pouvais me garder /
Plus longtemps / Jusqu'au petit matin / Sou-
vent /
A vingt ans on veut mourir / Et à presque
quarante /
On veut rester /

Alors salut /

Tu trouveras bien / Un fou avec mes yeux /
Qui t'aimera /

129

Un désemparé / Que tu pourras chérir /
Quelques témoins du temps passé /
Se souviendront bien du jeune homme trébu-
chant /
Et de notre histoire d'amour /
Je ne t'ai jamais bu par ennui /
Je t'ai toujours bu par passion /
Pour être d'un bond / Tout méchant / Ou tout
bon /

Alors salut /

Vingt ans de vie commune / Au coucher / Au
réveil /
Tes coups derrière la tête / Et puis tous ces
animaux bizarres /
Que tu élèves chez toi /
Ces singes grimaçants / Ces perroquets / Dont
le bec dégouline /
De cervelle humaine /
Tous ces serpents / aux yeux d'effroi /
et aux corps affreusement glacés /

Faut bien alcool / Faut bien que je te quitte /
Tant que je ne parlais qu'aux oiseaux multico-
lores /
Aux filles nues / Et belles /
Tant que je ne buvais qu'entre leurs seins /
Je ne dis pas /

C'est vrai que grâce à toi / J'ai eu des femmes
que je ne méritais pas /
C'est vrai / Que je connais tous les bars de la
ville /
Et d'autres encore /
C'est vrai que j'ai parlé à Dieu /
Et qu'on ne s'entend pas du tout même /
Tout est vrai /

Faut bien alcool / Faut bien que je te quitte /
La prise est débranchée / Impossible de souffler
/ dans l'harmonica /
Je ne veux plus coucher avec toi au prix de ma
vie /
Je ne veux plus que tu sois princesse /
Tu n'es qu'une sorcière aux seins gris /
Ton ventre si blanc / dans le temps /
N'est plus qu'un marais infâme /
Où des crabes et des crapauds s'entre-tuent /
Je ne veux plus que les ressorts de mon
crâne /
s'éparpillent au hasard des bars /
Et que les clowns éblouis par la foule /
Saluent leur gloire flétrie /
Ah ma belle fleur vénéneuse /
Tu complotes avec la folie /
Tu complotes trop /

Faut bien alcool / Faut bien que je te quitte /

J'aime les femmes dont les yeux s'étonnent /
que les oiseaux s'envolent /
Rends-moi mes ailes /
Ma véritable destinée /
Rends-moi mon sexe / Mon amarre terrestre /
Qu'est-ce que ça peut te faire /
que j'aille voir d'autres gonzesses /
Pourtant je t'ai aimé / Juré /
Immobile au coin du bar / Les yeux perdus
dans le Mississippi /
A midi plaqué / Où l'ombre même s'ennuie /
Je t'ai aimé / Juré /
Il y a vingt ans / Déjà /
L'avenue / Aux rivages ensorcelants m'a pris
dans ses bras /
Je me suis laissé porter jusqu'à l'intoxe /
Sous les néons caressants /
Par des infirmiers trébuchants / A la perverse
tendresse /
Nous avons joué tous les rôles / Toi et moi /
L'homme brisé / L'homme réussi / Le héros
impuissant /
L'ivrogne d'azur / L'homme de talent /
Celui à qui on ne la fait pas / Celui à qui on fait
tout /
J'ai vécu dans la débauche des sentiments /
C'est vrai / Tout est vrai / Je ne renie rien /

Faut bien alcool / Faut bien que je te quitte /
Il est encore temps /

132

Pour le jeter sur le papier /
Faut remonter le temps /
Et retrouver la véritable couleur du moment /
Où le cœur a souffert et aimé /
En retrouver toute l'ardeur /
Restituer /
Et puis je veux / Que ceux que j'aime / Que
ceux qui m'aiment /
Cessent d'avoir du chagrin /

Faut bien alcool / Faut bien que je te quitte /

Je buvais dans la vie. Pour être intelligent, fulgurant. Mais je marquais des points à l'instinct. Je travaillais à l'instinct, à ses signes, à ses codes, à sa multitude.

L'alcool me permettait alors d'extravagantes ironies.

Part 20

Voyageur immobile.

Ma page blanche je te mets à plat sous ma main et puis j'écris oiseaux fleurs. J'ajoute rouge, bleu. A l'autre bout de la ligne après le noir de couloir, je fais tomber étincelant à côté de drapés avec des plis dorés. Je fais tomber un drapé étincelant avec des plis dorés.

Je fais des vagues avec les mots de la phrase et puis je finis avec le mot bateau en pensant à légèrement ivre.

J'arrête et regarde dans la rue.

Nous serons deux sur le bateau. Ou bien je serai seul à essayer de t'oublier.

J'écris sa main sur la nappe blanche, une main blonde appuyée légèrement sur la paume et le bout des doigts, immobile, juste avec le cœur qui bat et le verre de vin blanc embué dans la lumière d'une huître désespérée.

Voyageur immobile à l'imagination fertile. Grands hôtels vides à l'heure des grandes marées. Inoubliable silhouette d'un corps heureux sous un pan éblouissant de soleil d'été.

Dans les villes mortes. Les jeunes gens agonisent. Trop grave pour voir Venise. Et préfèrent les ventres ouverts à des dentelles portées par les vents du désert.

En fait jamais pu vivre la vie en place. Un formidable don d'observation pouvait laisser espérer à un plus grand talent, à une plus grande verticalité. Mais je fais dans le sanguin! L'affectif! A la fois, je touche les anges sans pouvoir vraiment l'exprimer, et m'abandonne à des clichés. Je suis superficiel profondément. Ou peut-être profondément superficiel. Il suffira de la couleur du matin.

Toujours vivre dans une cale au milieu d'un trésor inventé. De l'Inde du Sud au Grand Nord emmitouflé. Des tavernes exaltantes de destins brisés, de petit matin immortel où l'éthylisme rend prince indompté. Tout n'est qu'invention. Oui je crois en moi. A de rares instants je pense même qu'il est bien que j'existe. Et puis parfois je trouve cela d'une banalité effrayante. En fait, aucune importance. Vite respirer. Encore et encore. Me broyer les poumons de l'oxyde de vie. Me vautrer des deux côtés, me ritueler d'huile odorante, me refaire la peau à coups de nouvelle vie. Ne rien savoir et tout humer. Je n'ai d'envie que d'entendre mon cœur battre.

C'est le bleu du bleu qui vient dans ma vie. Je te quitte pas, Paulo. Mais rien à faire. Va falloir que j'aille faire un tour du côté du bonheur. On se reverra au hasard des diables. Quand la cellule se révolte. Il n'y a pas d'heure pour ça. Tu te promènes sûr de toi. Et brusquement tu les sens. Tu résistes encore un peu en te disant qu'il fait trop beau pour se laisser couler. Mais ça frémit sur la peau. Tu te retournes. Un coup d'œil à droite à gauche et vive l'infanterie, tu t'accoudes au bar. Je ne te quitte pas, Paulo. Tu vois bien j'y pense toujours. Pas toujours. Il y a même des jours où je ne veux pas. Alors les diables tirent sur tout ce qui bouge dans ton corps, dans ton âme, et s'agenouillent par milliards au coin du bar et te disent qu'il n'y a qu'avec toi qu'ils aiment déraisonner. Tu jettes un regard désespéré au loufiat pour lui faire comprendre qu'il faut pas qu'il te parle, qu'il faut pas être frangin. Qu'il faut que tu te retournes, que tu te sauves vers la maison claire où il y a les enfants, les petits enfants bleus qui t'attendent avec leurs rires et leurs humeurs. Pas de guenille ce soir. Pas de marchands de banane, pas de cour des miracles. Quasimodo rentre à la maison. Il faut qu'il prenne Esmeralda dans ses bras. Paulo, il faut que je te raconte comment c'est le bonheur.

Enfin le moment qui s'invente, qui se construit aussi follement que la bière coule au creux du ventre. Maintenant je veux vivre la vie d'un mec qui avance. J'ai trop vécu celle de l'angoissé qui recule. Le petit banlieusard à sa mémère, pendant qu'il fermait sa gueule, n'en perdait pas un mot de tout ça. De la vie et de ses putains de misère. Il apprenait le petit banlieusard pendant qu'il fermait sa gueule et qu'il passait pour un poivrot. Il apprenait la vie à sa façon. Fallait bien remplacer papa. Mon papa à moi c'était le bar.

Bordel de bord de mer que la vie. Est-ce que j'aurai le temps de me servir de la mémoire. Les mines du roi Salomon. Même que j'aurais mangé des pommes avec Richard Cœur de Lion. Palerme à la place de Longwy. Pour le silence, la poussière et une impression d'éternité. C'est beau une ville la nuit. Et puis un hôtel où il n'y a rien. Ni dealer, ni jazzy, ni chanteuse de blues. Mais on y va le cœur battant. Un hôtel cache toujours quelque chose. Il y a des villes à une rue! Des villes à mille et une rues. Des villes serpents avec des frissons d'argent et d'or, la nuit! Y a des villes qui sentent la femme, quand il fait chaud au long des terrasses. Alors les villes t'emmènent comme un gros bateau. Elles s'inventent des frontières, d'autres horizons pour te séduire, pour t'engloutir. Le pot, Paulo, que j'ai eu de m'être inventé au creux des villes. La hargne de tout retenir. De faire éclater le point à l'horizon. Mémoire. Où les pans d'ombre deviennent flamboyants. Dans le fond de ma poche pour l'abriter du vent, quand j'étais gosse. Pour la protéger des sceptiques, des incroyants qui pensent que les enfants ne prient pas ou ne prient qu'à moitié. Je n'aime pas la vie d'homme. J'aime l'adolescence. Aujourd'hui penché sur le clavier. Je revis. Ma mémoire s'envole, choisit et se pose sur mon épaule. Il n'y aura pas beaucoup de pages. Il y aura le son et puis les images. Elle guide aussi. Elle choisit. Elle s'impose. Simplement. Sans être hostile à des souvenirs qui seraient plus douloureux. Mais elle indique la vie. Elle m'élève. Elle est douce comme la main de bébé qui s'abandonne. C'est avec ma mémoire que j'existe. Comme si l'avenir était déjà dedans. Elle m'aide à me jeter en avant. La vie je la gagnerai toujours d'une courte tête. Je pourrai jamais me reposer. Jamais m'arrêter. Alors, je la berce. Elle est ma glaise. Ma sculpture inachevée.

Part 21

Mets du charbon, Paulo,
t'occupe pas des signaux.

L'hiver l'autoroute du Nord, avec du brouil-
lard jusqu'à la Belgique. Immortel. Invulnéra-
ble, peinard panard comme un prince arabe.
Tu vis le chaud dans le froid derrière la vitre.
Ça me fait penser à Roland. J'aime faire la
route avec lui. Il a des grands silences. Moi, je
remonte le fil de sa nuit. A petits pas, à petits
mots. Sans rien presser pour rien casser. Il est
fragile, Roland. Roland, c'est un beau souvenir.
On a fraternisé. Fraternisé pour la vie. Mon
frère l'acteur. Le païen! L'éructant! Mon miel
en colère. Celui qui a des paillettes d'or dans
les mirettes. J'ai joué l'Ouest, le Vrai, avec lui.
Quand je prenais la main de Roland à la fin je
sentais à quel point nous étions fiers du boulot
bien fait. Un beau boulot. Roland. J'ai passé des
nuits de ma vie avec lui et sa vie. Des nuits

d'agonies et de renaissances. Des nuits fleurs bleues avec du néon partout. Des éclatements en mille parcelles multicolores de nos colères. Nous nous sommes aimés debout, en brassant l'espace. Je l'aime celui-là et les autres. Les inconnus, les fous d'amour. Avec le mal humain qui les ronge. Chiens galeux! Chiens jaunes de nos errances! Témoins humains de nos errances. J'aime l'errance! Je m'engloutis d'errance! Je macère dans l'errance! J'aime les êtres d'errance! Mon ami l'acteur avec qui j'ai fait le tour de France. Rolànd, tu sais, Paulo, c'est cet acteur à qui on ne donne que des rôles de méchants, de fourbes. Ce poète scandaleux et doux comme le souvenir débarbouillé de ses vilaines plumes. Celui qui se fait du mal pour être plus près de toi. Tant pis pour ceux qui ne filent pas le coup d'éponge.

C'est un homme à qui je n'ai rien à pardonner. Il me disait : « Je te regarde jouer. Et tu m'étonnes. » Roland, il a du respect pour moi. Et comme chaque soir il m'étonnait, chaque soir nous nous découvrions d'autres espoirs. J'avais l'impression d'être une supergonzesse et que le mec avec qui je dansais, il dansait super bien. D'autres fois c'était lui la supergonzesse! Sur scène je savais tout ce qu'il aimait, tout ce qui le caressait. J'adorais l'étonner. Le surprendre. J'aimais qu'il m'aime. Je partageais sa souffrance, son infinie solitude avant d'entrer en scène. On était tendus comme pour un cinquante-mètres tout en sachant qu'il faudrait en faire dix mille.

Tu pries comme un brûlot. Tu chéris la vie et la mort au même instant. Tu veux t'engloutir dans les bras de la terre. Mais il faut être humble et victorieux. Alors le courage, à petits pas de rage, vient se blottir au creux du ventre. Et brusquement t'enchaînes, tu déploies. T'envoies la bannière du mystère recouvrir le public. T'entends le cœur qui accélère. Tu te repais affamé. Avec Roland c'était comme ça. Dans les bars, après, nous inventions notre fatigue avec la chanteuse de blues qui chantait peut-être pas le blues. Nous avions les mêmes plaies. La même volonté de bonheur et de beauté.

Tu veux faire l'acteur. Vas-y, Paulo, vas-y. C'est bien. Très bien. Alors faut être joueur. Flambeur! J'ai couru vers le chagrin comme d'autres courent vers le bonheur. Je suis sûr d'aimer les gens qui ne m'aiment pas. Qui rejettent le diable touché par la grâce. Tu me trouves vaniteux? Bien bon! Je ne suis pas petit quand je ne suis pas beau. Pas beau l'humain! Crottes de chien! Je suis un très vilain capable de comprendre tous les vilains!

Regarder la fin du monde. Tout le temps. J'aime beaucoup cette phrase. C'est dans *Sauve qui peut la vie* de Godard. Je voudrais bien savoir s'il est pessimiste en disant cela. Moi quand j'y arrive, c'est comme si j'atteignais l'éternité. C'est peut-être de là que me vient ce sentiment d'urgence. Cette aptitude aux choses simples.

Comme si les autres savaient les choses et moi pas. Avec Roland on aimait bien délirer sur le noir qui était plus blanc que blanc.

Il y a des jours où on a joué à s'aimer moins, d'autres à s'aimer follement, alors que ce n'était pas le vrai jour de l'amour. Mais on était comme des braises ensemble, comme des fous de toujours.

omme jusqu'au fond des yeux et lui dire. Oui
e vais te filer un coup de pogne. Et lui filer.
'emmener, lui garder toujours une place à
on côté. Et puis le pousser devant. Vas-y
arçon. Vas-y. Tu verras le bonheur, c'est un
out petit truc de rien du tout qui fout le camp
lès que t'as le dos tourné. Mais ça vaut le coup.
'oublies pas. Premier levé, dernier couché.
Sans ça. Il n'y a pas de raison!

J'ai vu deux pigeons. Un noir et un blanc. Le
noir volait au-dessus du blanc. Un noir fort et
combattant.

Je crois savoir pourquoi les poètes sont
malheureux. Parce qu'ils sont du signe de
'invisible. Que leur façon d'aimer est mysté-
rieuse et souvent sans gloire.

Part 22

*Ils marchent eux sur le bord des
routes avec des chiens de terrains
vagues à leur côté le matin très tôt ou
bien le soir très tard.*

Mexico. Adieu Mexique. On a du vague à
l'âme. On chiale. Dans le ciel violet. On était
pas restés longtemps. Mais nom de Dieu ça
nous avait brûlés. C'est ici avec la blonde que
nous avons fait le pacte d'amour. Sans rien
nous dire. Simplement par le bonheur com-
mun des odeurs et de la lumière.

Les Indiens. Les plus beaux ils sont à hauteur
de pot d'échappement. Ils n'ont rien. Comme
des chiens. La race des seigneurs, des fous de
la pierre. A terre. Avec leurs yeux loin.

La blonde le matin, pendant que je dormais,
elle prenait tous ces foutus billets de banque.
Elle allait dans les rues leur donner. Elle
revenait en larmes. On s'est barrés à Cuerna-
vaca. On voulait voir la ville où Malcolm avait
écrit *Au-dessous du volcan.*

145

Le clavier est arrêté dans la nuit. Comme un train en pleine campagne. Sans qu'on sache vraiment pourquoi. C'est pas d'avoir pensé au volcan. Personne ne peut m'empêcher d'écrire. Mexique cassé. Broyé. Quand tu montes au dernier étage d'un building. T'es mazouté. T'as l'impression que tu peux attraper les avions dans le creux de ta main. T'es mazouté comme si t'étais au ras du sol. Il faut être un dieu pour exister là-bas. Pour échapper à la gadoue.

Le monde c'est chez moi! C'est ma raison de vivre, le monde. Mon miel et mon encens. J'avais un ami. Quand j'étais en colère il me regardait en souriant comme s'il n'était pas là. Calmement, il tournait le dos et buvait un grand coup. « Laisse l'Occident boire un coup. Laisse une pause dans le chagrin. Je suis cannibale. Tu es cannibale. Et tu seras toujours cannibale. T'aimes pas être mangé. Même si tu te crois un jour grand et généreux, t'aimeras jamais être bouffé. » Alors je partais dans un grand discours où il était question de mon intérieur, de mon extérieur. Du visible et du secret.

En ricanant je lui faisais le coup de l'habit qui ne ferait pas le moine. Il posait la main sur mon épaule. « Allez, Paulo, guide-moi dans ta nuit. T'as besoin de m'engueuler. Ça ne me fera pas de mal! »

Terra sortait tout droit de n'importe quel film déglingué. Qui saurait des choses qu[e] autres savent pas. C'était un mec impo[rtant] dans l'industrie. Un supergros! Pas propr[e]. Responsable quoi! Il avait fait de la c[ompétition] automobile. Et puis il était passé de l'[autre] côté. Il se faisait un peu chier je crois. Peu[t-être] pas assez sur les circuits de courses. [La] nostalgie. Les femmes. Il les aimait toute[s avec] une égale passion. Il avait des enfants. P[as un] garçon que des filles! Il me disait en se[r]rant. Faut faire des filles, que des filles. [Jusqu'à ce] qu'elles feront l'amour avec des garço[ns qui] leur feront des filles jusqu'à ce qu'il n'y a[it plus] que des filles et toi et moi. Il me disait au[ssi que] je savais plein de trucs mais que je ne [savais] pas m'en servir. Des trucs de la vie. Lui [a] cherché. Le cœur a lâché. Je l'ai appris [pen]sable, allongé à me faire bronzer. La pla[ge] est devenue con d'un seul coup, vieux Te[rra], te jure. Ça m'a fait bizarre.

J'étais là. Je croyais que t'étais aille[urs. Tu] n'étais plus là! J'ai vu ton âme s'envole[r dans] un bateau blanc qui vire et coule en dis[parais]sant comme une virgule au loin.

Ça me fait du bien de parler de toi. [C'est] si je m'étais lavé nu. Dans un torrent. O[u avec] des filles qui rient en faisant semblan[t de se] cacher les yeux.

Je voudrais être comme toi. Comme [toi et] moi. Il y a vingt ans. Regarder un[e]

Part   23

L'Aconcagua.

Les couchers de soleil comme sur les images pieuses. Avec une grande brèche qui t'aspire vers le trou du ciel.

C'était encore à l'époque des généraux. Et dès que tu arrivais à l'aéroport de Buenos Aires, tu le savais. Les flics avec les uniformes verts. Et puis les yeux. Les yeux surtout. Jusqu'au fond des tiens. Buenos Aires on dirait une ville pleine d'oiseaux aux yeux cernés. Même les pierres te donnent l'impression de s'être arrêtées. Avec des paysages sauvages qui devraient être pleins d'Indiens. Il n'y en a plus un. Des Chiliens au hasard. Ils sont plus clairs de peau que les Argentins. Buenos Aires a la grâce d'une gonzesse en deuil qui voudrait faire l'enquête elle-même. Buenos Aires n'a pas l'air. Elle veut pas avoir l'air. Mais elle t'enveloppe, elle te fait macérer dans quelque chose qui viendrait de derrière. Elle a pas de colère. Peut-être que je fréquentais pas les gens qu'il fallait. On habitait au dix-neuvième étage. Nous là-haut on était dans le lit des anges.

Par la baie, les nuages roulent comme des gros tambours. Comme quand j'étais petit et que je lavais les bagnoles. Un jour il y a une superbe gonzesse dans une caisse décapotable qui m'a demandé si j'avais pas envie de balancer le seau et de m'asseoir à côté d'elle. Vroom vroom j'ai balancé le seau. Je croyais qu'elle avait du pognon. Elle en avait pas. Mais elle était sûre qu'un jour j'en aurais.

Avec la blonde dans mes bras, on a plané longtemps à regarder le port, jusqu'à ce que la fumée devienne plus claire que la nuit. Comme des milliardaires!

A Buenos Aires tu peux travailler dans le nonchalant. Il y a de l'Italie partout. Sans les cris. Assez silencieux, l'Argentin.

On a pris la route. Direction la pampa. La blonde avec les deux enfants sous chaque bras. Comme une madone. Dans le fond de l'autocar. Moi j'étais à côté du chauffeur pour lui dire ce qu'il ne voyait pas de son siège. Le ravin! Tu vois, Paulo. Il voulait que je lui dise à chaque tour de roue si on en était loin. Quand je dis loin, je veux dire une largeur de main. Avec de temps en temps quelques doigts en moins.

Des bougies dans la nuit. Aux endroits sans chance. Au passage où tu flottes dans l'espace. Où tu sais plus si c'est la nuit du ciel ou le fond du noir dans le gouffre.

On est arrivés dans la pampa. Il y avait une tempête de neige.

On s'est retrouvés devant une cheminée avec des chevaux dehors et des milliers de kilomètres derrière nous.

Nous étions au pied de la cordillère des Andes. En face de l'Aconcagua. Tu vois c'est un pays qui fait loin dans la tête. Bizarre d'attendre les Indiens et de voir que des bœufs, des vagues de bœufs noirs posés à même le ciel. Impression de vide à l'horizon. Les chevaux c'est des vrais, des durs, qui frissonnent flanc à flanc au passage d'une jument joufflue.

Les gosses ont enterré dans la neige une jeune cigogne. Elle était morte de froid. Je leur ai dit qu'elle avait trop dansé. Trop coquette! C'est vrai. Elle était jolie. Je vois pas pourquoi elle n'en aurait pas profité. Mais c'est mortel. Faut le savoir. Aussi bien pour les cigognes que pour les sirènes. Le dimanche, il y avait un mec saoul qui remontait la rue principale bordée de peupliers d'argent. A cheval à jeun il partait, à cheval bourré il rentrait. Dans la montagne un cimetière indien. Mais il y avait toujours pas d'Indien. Nom de Dieu! Matthieu le garçon ça le rendait silencieux. Il regardait les décorations sur les tombes. Des bouts de verre verts, bleus, jaunes et transparents. Lui qui chope tout. Il a pas bronché. C'était le trésor des Indiens. Fallait pas y toucher. Je regardais tout autour de moi c'était sans fin, plus grand que les deux bras. Comme à la naissance du monde.

Part 24

Écrire c'est comme nager tout nu.
Avec la bite qui flotte comme une
fleur tellement les couilles devien-
nent légères.

Match de boxe. Round d'observation. J'écris ce matin. Je vais écrire. Fragile. Rien pousser trop vite. Trouver le nombre de pas. Pas me disputer avec ma nana. Boire le café en matant la rue. Peut-être me laver les mains. Surtout pas me peigner. Garder cela pour l'errance. Pas sortir le corps du chaud. Accompagner les gosses à l'école. Les embrasser. Acheter le journal du matin. Marcher. Trouver son allure. Pas de trop grands pas. Les premiers sons sont importants. Bonjour madame, bonjour monsieur. Très poli. Courtois. Coups de vice. Pour garder la colère, pas y toucher avant que d'être devant le clavier. Mater une nana. Bander. Se promettre une branlette. Avant ou après les pages décidées? Éternelle question. Avant ou après. Je crois qu'après c'est mieux. Si on peut. Dans mon cas, si possible avoir croisé un chien. Du genre qui dort encore en pissant. Ça dépend de l'humeur. Ou du genre insolent qui marche de travers, la queue dressée cassée. La truffe comme une olive noire posée sur le bout de la gueule mâchoire. En général si le chien pisse en dormant, je fais dans le triste, la nostalgie. Si le chien est dans le genre insolent, je les ai toutes baisées et je pense qu'à ça. Résultat trois ou quatre pages où il n'est question que de cul, de petits pigeons, de gros nichons, de derrière en arrière, de short trop serré, de femmes qui se penchent, d'autres qui se relèvent.

Rentrer à la maison sans rien brusquer. Bonne musique d'Eddie Louiss. C'est bien le matin. Tomber sur une musique qui te dégage les bronches. Bien costaud côté sentiment. Tu viens voir ton clavier. Mate la maison d'en face. Refaire chauffer le café. Poser le bol à côté du clavier. Allumer une cigarette pour voir si la tête tourne. Aimer intensément l'endroit. Prendre la blonde dans mes bras. Pas s'éterniser. Fulgurant. Accord parfait. Je vais. Pousse la porte. Crispe les bras sur la table. J'écris. J'écris enfin.

J'ai appris à écrire sous une tonnelle de roses blanches débouchant sur un potager fleuri où les verts acides des poireaux se mêlaient aux rouges anémiés des carottes trébuchantes. J'ai appris à écrire sous une tonnelle blanche la nuit, dans le silence, à la limite du cri, et mon cœur battait aux rythmes des mots que je jetais comme des paysages dont la flamboyance me laissait pantelant.

J'ai appris à ne plus écrire avec cette putain de drogue, à inventer chaque nuit une nouvelle histoire qui ne verrait jamais la vie. J'ai appris à mentir pour écrire, à me prendre pour un maudit, à tout dire pour qu'il ne me reste rien à écrire. Écrire relève de l'espérance. Tu mets la virgule là où tu veux que ça freine et le point là où tu veux que ça s'arrête. Quand tu veux laisser ton idée faire son chemin sans toi, tu rajoutes quelques points.

Quand tu t'étonnes, tu peux t'exclamer, c'est pas obligé. Et puis le reste, tu laisses à ceux qui veulent tout expliquer.

Comme on s'fera chaud, quand on sera vieux
Quand nos enfants viendront, l'après-midi
clair sous l'olivier
Cette nuit-là on dormira comme des chiens
Avec des rêves étoilés
Des souvenirs de petites filles de petits garçons
loin
Comme on s'fera chaud
Quand y sera tard dans la vie
À marmonner ces vieilles colères
On leur dira comme on l'a aimée
Cette putain de vie à la gueule de chien

Hé! môme! dis-le donc
Qu'on est des vieux cons
Mais viens, viens cet hiver
Viens voir les vieux Indiens
Hé! môme!
Promets que tu viens, quand t'auras mal à ta
peau

156

Tu verras que mes vieux Paulos y s'ont des
remèdes contre le chagrin
On boira un coup pour être fous
On fera des cartons sur les cartes vermeilles
Hé! môme! viens voir les vieux desperados
Comme on s'fera chaud quand on sera vieux
Quand nos enfants viendront, l'après-midi
clair sous l'olivier
On vous regardera marcher devant la main
dans la main
Ça vous donnera faim

On dira bien quelques conneries dans le soleil
couchant
On entendra bien quelques cloches sonner de la
vallée
Hé! môme! tu verras comme la grenouille du
ruisseau est gaie
On ira voir le taureau qui fait éclater la
colline
Tellement qu'il a le spleen

Hé! môme! faudra venir dans la maison
Faudra pas laisser la vie se taire
Viens voir les tout câlins les pas héros
Ceux qui ont peut-être rien compris
Mais qu'ils l'aiment bien cette vie à la gueule
de chien

Composé par la Société Nouvelle Firmin-Didot
à Mesnil-sur-l'Estrée et achevé d'imprimer par
l'imprimerie Brodard et Taupin
à La Flèche (Sarthe),
le 21 février 1989.
Dépôt légal : février 1989.
Numéro d'imprimeur : 6488A-5.

ISBN 2-07-038116-1 / Imprimé en France.
Précédemment publié aux Éditions Denoël
ISBN 2-207-23439-8.